Achim Seiffarth

Sophie Scholl
Die Weiße Rose

Illustriert von **Andrea Alemanno**

Redaktion: Stefania Sarri
Künstlerische Leitung und Gestaltungskonzept: Nadia Maestri
Computerlayout: Carlo Cibrario-Sent, Simona Corniola
Bildbeschaffung: Alice Graziotin

© 2013 Cideb

Erstausgabe: Januar 2013

Member of CISQ Federation

RINA
ISO 9001:2008
Certified Quality System

The design, production and distribution of educational materials for the CIDEB brand are managed in compliance with the rules of Quality Management System which fulfils the requirements of the standard ISO 9001 (Rina Cert. No. 24298/02/S - IQNet Reg. No. IT-80096)

ISBN   978-88-530-1339-2   Buch + CD

Gedruckt in Novara, Italien, bei Italgrafica

Die CD enthält den vollständigen Text.

 Das Symbol kennzeichnet den Anfang der Hörübungen.

Darsteller

Von links nach rechts und von oben nach unten: Sophie und ihre Mutter; Hans, Sophie und Christoph Probst; der Vater; Kurt Huber; Willi Graf; Alexander Schmorrell

Einleitung

1933 kommt Hitler an die Regierung. Da ist Sophie Scholl zwölf Jahre alt.

Er will Deutschland wieder groß machen, sagt er. Die Deutschen sollen wieder stolz sein.

Sophie glaubt ihm.

Die Deutschen haben 1918 einen Krieg verloren und viele Länder abgeben und viel Geld zur Reparation zahlen müssen. Sie dürfen nur noch ein kleines Militär haben. Die Deutschen haben bei der großen Inflation von 1923 bis 1925 ihre Ersparnisse verloren und bei der Weltwirtschaftskrise von 1929 ihre Arbeit. Vielen Leuten geht es schlecht, sie leben ohne Geld, ohne Arbeit, ohne Hoffnung. Da kommt Hitler.

Jetzt wird es besser, denken viele. Auch Sophie denkt das.

Sicher, er ist ein brutaler Typ, und er hasst Kommunisten, er hasst Homosexuelle, er hasst „Zigeuner" und vor allem die Juden. Aber vielleicht hat dieser Hass am Ende doch keine Konsequenzen? Politiker reden viel.

Mehr als 40% der Deutschen wählen Hitler. Denn er sagt: mit mir bekommt ihr wieder Arbeit, Deutschland wieder ein Militär und die Länder, die jetzt zu Frankreich und Polen gehören, kommen zurück.

Hitler braucht nur ganz kurze Zeit: nach einem Jahr hat er ganz Deutschland unter Kontrolle. Das System des Terrors beginnt zu funktionieren. Er lässt Sozialdemokraten, Kommunisten, Liberale und auch viele kritische Christen ins Gefängnis werfen oder ermorden. Er baut Konzentrationslager. Wer ihn kritisiert, endet dort. Doch davon weiß Sophie anfangs nichts.

Hitler lässt im ganzen Land bauen: so bekommen viele Männer Arbeit. Das Saarland kommt wieder zu Deutschland. Später bekommt Deutschland noch das Sudetenland: einen Teil der Tschechoslowakei. 1938 wird Österreich ein Teil Deutschlands.

Nur langsam versteht Sophie, was Hitler bedeutet. Gefängnis oder Tod für Oppositionelle. Deutsche Juden dürfen nicht mehr für den deutschen Staat arbeiten: andere Deutsche bekommen ihre Stellen. Im ganzen Land lässt Hitler psychisch und körperlich behinderte Menschen ermorden. Er nimmt den Juden ihre Wohnungen weg und lässt sie erst in Gettos, dann in Konzentrationslager bringen und ermorden. Und er beginnt 1939 den Zweiten Weltkrieg.

Was sagen die Deutschen? Protestiert niemand? Im Untergrund arbeiten kommunistische und sozialdemokratische Gruppen. In der Kirche gibt es einige Zentren der Opposition. Bischof Galen in Münster predigt gegen die Ermordung der Kranken. Doch die meisten Kirchenleute folgen dem Papst oder ihren Bischöfen: die alle haben mit Hitler ihren Frieden gemacht. Und die meisten Leute haben Angst. Todesangst. Ein falsches Wort, und die Gestapo kommt.

Was sollen junge Leute wie Sophie und ihr Bruder Hans tun? Können sie etwas tun?

Sie versuchen es.

Sophie Scholls Leben – die ersten Jahre

Sophie Scholl ist ein Mädchen aus der deutschen Provinz.

Sie ist 1921 in Forchtenberg geboren, einer Stadt mit weniger als zweitausend Einwohnern, nicht sehr weit von Heidelberg. Dort lebt sie mit ihren Eltern und ihren vier Geschwistern neun Jahre lang. 1930 ziehen sie nach Ludwigsburg – das war schon eine richtige Stadt, mit 80000 Einwohern, und 1932 nach Ulm, wo mehr als 100000 Menschen

leben. Aber das sind alles sehr ruhige Städtchen, in denen nicht viel passiert. Erst als die Nazis kommen, wird auch dort vieles anders.

Sophie Scholl war Christin.

Die Orte, in denen sie wohnte, waren (und sind auch heute noch) stark katholisch geprägt. Und ihre Mutter war bis zu ihrer Hochzeit Diakonisse gewesen, hatte also als „Schwester" in der evangelischen Gemeinde gearbeitet. Beide Eltern versuchten, den Kindern den Glauben nahe- und Menschlichkeit und Toleranz beizubringen.

Sophie Scholls Familie war liberal.

Ihr Vater war in Forchtenberg Bürgermeister gewesen und spielte dann auch in Ulm eine wichtige politische Rolle. Mit seiner christlich-liberalen Orientierung hatte er sofort Probleme, als die Nazis an die Regierung kamen. Seinen Kindern hat er anfangs nicht erklären können, warum er gegen Hitler war, aber dann ...

1 **Was ist richtig?**

    a Sophie Scholl ist eine richtige Münchnerin.
    b Sophie Scholls Eltern waren überzeugte Nationalsozialisten.
    c Sophie Scholl hatte nur einen Bruder.
    d Sophie Scholls Eltern waren katholisch.

Sophie und der Bund Deutscher Mädchen

Mutter ist böse. Sie steht in der Haustür und ruft laut: „Sophie!
Komm endlich essen!"

Wo ist Sophie schon wieder? „Mama!" Woher kommt das? Da!
Auf dem Baum!

„Sophie!"

Zwei Minuten später steht Sophie vor ihr.

„Das geht doch nicht! Du bist doch kein Junge, Sophie! Die Leute
reden schon. Immer bei den Jungen! Und deine Frisur!"

Sophie trägt die Haare wie ein Junge. Vorne lang und hinten kurz.

Mama macht sich Sorgen. Sie leben in Ulm. Das ist eine
Provinzstadt. Da reden die Leute viel.

Und jetzt tragen die meisten Mädchen brave Zöpfe[1]. Und lange
Röcke.

---

1. **Zöpfe:** Traditionelle Frisur für Mädchen.

Sonst ist Sophie wie die anderen. Auch sie möchte jetzt in der neuen Organisation für Mädchen mitmachen. Der Bund Deutscher Mädchen (BDM), da treffen sich alle: sie singen und machen Sport, sie fahren aufs Land und haben viel Spaß zusammen. Ein bisschen militärisch ist es ja. Aber Sophie mag das.

„Beim BDM?" Sophies Vater ist nicht begeistert.

„Ja, Papa, das verstehst du nicht! Du bist zu alt und kannst das Neue nicht verstehen!"

„Bei den Nazis!"

„Ja, Papa, ein neues Deutschland! Und wir singen und marschieren zusammen. Wir wollen doch nicht immer nur zu Hause sitzen!"

Der Vater sagt nichts mehr. Seine Söhne sind schon in der Hitlerjugend (HJ). Da kann er nichts machen. Und es ist auch besser für sie: wer nicht in diesen Organisationen ist, hat es in der Schule nicht leicht.

„Alles für diesen Rattenfänger[2]! Ein Verbrecher ist das!"

„Ach, Papa!"

Am Wochenende fahren die Mädchen aufs Land. Siebenundzwanzig singende Mädchen auf ihren Fahrrädern.

Die Leute an der Straße bleiben stehen und sehen ihnen nach.

Sie fahren weit, und nach ein paar Stunden sind sie alle sehr müde. Aber sie haben gute Laune. Das Land ist schön und sie singen.

Erst am Nachmittag halten sie an und stellen die Fahrräder unter den Bäumen ab.

Zusammen bauen sie ihre Zelte auf.

---

2. **Rattfänger**: Märchenfigur: der Rattenfänger von Hameln.

Dann machen sie ein Feuer in der Mitte. Sie setzen sich und essen zusammen.

Zwei haben Gitarren mitgebracht.

Langsam wird es dunkel. Laut singen sie deutsche Volkslieder.

Es ist schon spät, als sie in ihre Zelte gehen.

Und doch, schlafen wollen sie noch nicht.

„War das nicht ein schöner Tag?" fragt Gisela.

„Wunderschön!" rufen die anderen.

„Es ist doch gut, dass es den BDM gibt! Wisst ihr noch, wie langweilig alles vor ein paar Jahren war?"

„Ja, da waren wir nicht alle zusammen. Die Katholischen gingen zum Beispiel mit den Katholischen und die Evangelischen mit den Evangelischen... aber jetzt sind wir eine große Gemeinschaft", erklärt Gerda, die Führerin der Gruppe. „Seit Hitler da ist, sind wir Deutschen endlich ein Volk!"

Doch eins der Mädchen sieht das nicht so. „Aber das mit den Juden ... warum hasst er sie so?" fragt Anna.

„Ach", antwortet Gerda, „das meint er doch nicht böse. Das ist doch auch nicht so wichtig. Denk an die guten Seiten!"

Sophie sagt nichts. Es gefällt ihr ja beim BDM. Und das neue Deutschland gefällt ihr auch.

Ihr großer Bruder Hans ist mit seiner Jungengruppe in die Hitlerjugend eingetreten.

Schon seit Jahren wandern und singen sie zusammen. Sie lieben ihr Land. Sie lieben die freie Natur. Sie laufen gern und schwimmen in eiskalten Flüssen und Seen. Begeistert lesen sie nordische Sagen. Da scheint es nur logisch, dass sie beim neuen Deutschland mitmachen wollen. Hans ist jetzt der Führer der Gruppe.

Doch bald gibt es die ersten Schwierigkeiten. Die Jungs haben

immer auch französische und russische Lieder gesungen. Bei der HJ dürfen es nur noch deutsche Lieder sein. Sie verstehen nicht warum.

Die Gruppe hatte eine sehr schöne Fahne, auf der man einen Drachen sehen konnte. Die haben sie selbst gemacht. Jetzt dürfen sie diese Fahne nicht mehr nehmen. „Die Hitlerjugend hat eine Fahne!" Hat ihnen ein Führer laut erklärt. „Ein Volk, ein Reich, ein Führer! Und eine Fahne!" Die Jungs sind traurig. Aber sie machen weiter bei der Hitlerjugend mit.

Dann darf Hans als Vertreter der Ulmer Hitlerjugend nach Nürnberg fahren.

Er ist sehr stolz.

In Nürnberg gibt es den großen Parteitag. Da kommen Männer und Frauen aus ganz Deutschland. Es gibt eine große Parade. Hitler spricht.

Die Jungen seiner Gruppe bringen ihn zum Zug. Sophie kommt auch mit. Sie ist so stolz auf ihren Bruder.

Am Sonntagabend kommt Hans wieder nach Hause. Sophie läuft zu ihm. Er sieht müde aus. Die Reise?

„Hast du den Führer gesehen?"

„Ja, habe ich..." Hans scheint nicht sehr begeistert.

„Was ist denn, war es nicht schön?"

„Ich weiß nicht. Alles uniformiert, alle marschieren. Alle rufen: 'Heil!'. Ich habe immer gedacht, es soll jeder Deutsche sein Bestes geben, jeder seine Phantasie und seine Intelligenz zeigen. Die Nazis kennen aber nur Disziplin und 'Heil'! Das kann doch nicht das neue Deutschland sein."

„Die Nazis?" Sophie versteht ihn nicht. Das hat er noch nie gesagt. Ist Hans auch einer von den Alten? Traurig geht sie schlafen.

Wenige Wochen später ist auf einmal[3] Sophies Klassenlehrer nicht mehr da. Herr Brenzel, der netteste Lehrer der Schule... „Ist er krank?"

„Den hat die SA geholt", erklärt ihr eine Klassenkameradin. „Zwölf gegen einen. Die haben da vor seiner Wohnung gestanden und ihn alle angespuckt. Dann haben sie ihn im Auto weggebracht."

Sophie läuft zur Wohnung des Lehrers. Seine Mutter macht ihr die Tür auf. Sie hat rote Augen.

„Ach, mein Kind, der ist jetzt im Konzentrationslager. Er hat immer wieder gesagt, dass der Hitler ein Verbrecher ist und Krieg will. Warum hat er nicht den Mund gehalten?" Sie weint.

Sophie weiß: Ihr Lehrer mag die Nazis nicht. Das hat er auch in der Klasse immer gesagt. Aber er war ein guter Mann und hat auch den Mädchen vom BDM immer zugehört.

„Ja, aber wann kommt er denn wieder? Können wir ihm vielleicht helfen? " will Sophie wissen.

„Du weißt nicht, was du da sagst. Konzentrationslager! Den sehe ich nie wieder ..." Dann macht sie die Tür zu.

Sophie läuft nach Hause. Ihr Vater sitzt in der Küche.

„Der Brenzel ist im Konzentrationslager!" sagt Sophie.

Ihr Vater nickt. „Der hat immer gesagt, was er denkt."

„Aber was ist denn ein Konzentrationslager, Papa?"

„Das ist so wie ein Gefängnis, aber die Gefangenen wohnen in Baracken und müssen arbeiten. Man gibt ihnen nur wenig zu essen und es gibt nur wenige Ärzte dort. Die Leute, die den Nazis nicht gefallen, kommen in diese Lager. Ohne Prozess. Und wie lange sie dort bleiben müssen, weiß keiner. Viele kommen nie wieder nach Hause."

„Aber das ... er hat doch nur ..."

„Das Falsche gesagt, ja. So ist das jetzt in Deutschland."

---

3. **auf einmal**: hier: plötzlich.

Was steht **im Text?**

Leseverständnis

1 Kleine Zeittafel. Verbinde.

1	1918	a	☐	Beginn der Weltwirtschaftskrise
2	1923	b	☐	Inflation
3	1929	c	☐	Hitler beginnt den zweiten Weltkrieg
4	1933	d	☐	Hitler kommt an die Macht
5	1939	e	☐	Ende des ersten Weltkriegs
6	1945	f	☐	Deutschland kapituliert

2 Setze die passenden Wörter ein.

> BDM — Fahrradfahrten — Hitler — Hitlerjugend
> Nürnberg — Ulm — Vater — Wanderungen

Seit 1933 ist (**1**) .... an der Regierung. Sophie
macht beim (**2**) .... mit, ihr Bruder ist in der
(**3**) .... Sie macht (**4**) .... mit ihrer
Gruppe, Hans (**5**) .... Ihr (**6**) ....
ist gegen die Nazis. Zum Parteitag der NSDAP fährt Hans nach
(**7**) .... Aber er kommt enttäuscht nach
(**8**) .... zurück.

3 Welche Version ist richtig?

a Hitler ist seit 1933 an der Macht. Sophie ist anfangs skeptisch.
Aber dann denkt auch sie, dass Hitler gut für ihr Land ist. Ihr Vater
freut sich, dass sie das endlich eingesehen hat. Nur ihr Bruder will
bald nichts mehr von der Hitlerjugend wissen. Beim Nürnberger
Parteitag gefällt es ihm auch nicht. Das ist ihm alles zu uniformiert
und zu militärisch. Er macht weiter mit seinen Freunden
Wanderungen. Als ihr Lehrer ins Konzentrationslager kommt,
macht sich auch Sophie ihre Gedanken.

b Hitler ist seit 1933 an der Macht. Sophie findet das gut. Sie macht beim BDM mit. Ihr Vater freut sich nicht. Sophies Bruder will bald nichts mehr von der Hitlerjugend wissen. Beim Nürnberger Parteitag gefällt es ihm auch nicht. Das ist ihm alles zu uniformiert und zu militärisch. Er macht weiter mit seinen Freunden Wanderungen. Als ihr Lehrer ins Konzentrationslager kommt, macht sich auch Sophie ihre Gedanken.

c Hitler ist seit 1933 an der Macht. Sophie freut sich anfangs sehr. Denn auch sie denkt, dass Hitler gut für ihr Land ist. Ihr Vater freut sich, dass sie das eingesehen hat. Nur ihr Bruder will bald nichts mehr von der Hitlerjugend wissen. Beim Nürnberger Parteitag gefällt es ihm auch nicht. Das ist ihm alles zu uniformiert und zu militärisch. Er macht weiter mit seinen Freunden Wanderungen. Als ihr Lehrer ins Konzentrationslager kommt, macht sich auch Sophie ihre Gedanken.

Grammatik

4 Präpositionen. Setze ein.

> auf – am – an – beim – in
> im – mit – nach – über – von

1 Sie fährt gern .... dem Fahrrad.

2 Er sieht sie .... der Straße.

3 Sie sieht ihn .... der Haltestelle.

4 Hans fährt .... Nürnberg.

5 .... Essen spricht man nicht.

6 .... Büro schlafen alle.

7 Die Vorlesung dauert .... eine Stunde.

8 Wir gehen sonntags .... die Kirche.

9 .... Freitag müssen wir früh aufstehen.

10 Ich komme gerade .... der Schule.

Wortschatz

5 Wie jedes totalitäre Regime haben auch die Nazis viele neue Wörter und vor allem Abkürzungen erfunden. Verbinde, was zusammen passt.

1	NSDAP	a	☐	Bund Deutscher Mädchen
2	BDM	b	☐	Hitlerjugend
3	HJ	c	☐	Geheime Staatspolizei
4	Gestapo	d	☐	Schutzstaffel
5	SS	e	☐	Nationalsozialistische Deutsche Arbeiterpartei

6 Welche dieser drei Definitionen passt zu welcher Abkürzung?

a Die Elitetruppe Hitlers. Besonders brutal. Für „Sonderaktionen": Mord an Juden, an Kommunisten, an Intellektuellen in Osteuropa.

b Die Organisation für Jungen und junge Männer. Militärische Disziplin.

c Die Polizei, die die normalen Leute kontrolliert und nach Personen sucht, die gegen Hitler sind.

Sprich dich aus

7 Du willst einen Ausflug mit den anderen in deiner Gruppe organisieren. Viel Geld habt ihr nicht. Aber ein Fahrrad hat jeder. Zwei oder drei Zelte könnt ihr auch bekommen. Schlage einen Wochenendausflug vor. Wohin fahrt ihr? Gibt es da etwas zu sehen? Was macht ihr abends? Wenn jemand eine Gitarre mitbringt, was singt ihr dann?

Schreib's auf

8 Erzähle von einem sehr schönen oder von einem sehr unglücklichen Ausflug. Wie bist du wann wohin gefahren? Was hast du gesehen oder erlebt? Wie war es mit den anderen (harmonisch? Gab es Konflikte?)

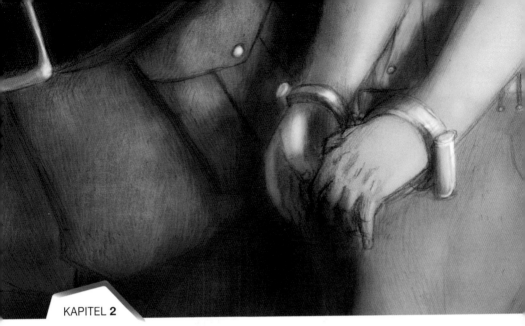

Der Löwe von Münster

Immer noch trifft Sophie jeden Tag die anderen Mädchen vom
BDM, so wie Hans weiter zur Hitlerjugend geht. Aber jetzt glauben
sie nicht mehr, dass die Nationalsozialisten ein neues, besseres
Deutschland wollen.

Hans geht meistens mit seiner alten Jungengruppe wandern.
Sie tragen die Uniformen der Hitlerjugend, aber sonst ist alles, wie
es einmal gewesen war. Sie singen, was sie wollen und sie sagen,
was sie denken.

„Die sind doch jetzt verboten, die alten Jungengruppen! Hast du
keine Angst?" fragt ihn eines Tages Sophie.

„Ach, mach dir keine Gedanken! Wir sind ja alle in der
Hitlerjugend. Da sagen sie nichts."

Doch da irrt er. Eines Morgens um sechs stehen drei Männer vor
der Tür: „Gestapo!" erklären sie kurz und kommen schon ins Haus.

„Wohnt hier Hans Scholl?" Die Mutter antwortet nicht. Doch
Hans hat die Männer gehört und kommt aus seinem Zimmer. „Der
bin ich. Was gibt's?"

„Heil Hitler! Wir müssen Sie mitnehmen!"

„Aber ... warum denn?"

Die Männer antworten nicht. „Machen Sie kein Theater. Los, los, ziehen Sie sich an und kommen Sie mit!" Fünf Minuten später fahren sie mit Hans weg.

Sophie ist sprachlos. Die Mutter weint. Der Vater telefoniert.

„Was? Eine große Aktion? .... Aha. Verstehe. Danke."

„Große Aktion gegen die alten Jugendgruppen. Die haben in ganz Deutschland junge Männer verhaftet. Wird nicht so schlimm, denke ich."

Doch Hans bleibt lange im Gefängnis. Sechs Monate. Sophie darf ihn da nicht besuchen. „Das ist nichts für dich, Kleine", erklärt ihr die Mutter. Die darf einmal in der Woche zu ihrem Sohn.

Als Hans wieder zu Hause ist, geht er nicht mehr zur Hitlerjugend. Und er geht auch nur noch selten mit Freunden wandern. Und dann sind es immer nur zwei oder drei. „Wir müssen vorsichtig sein", sagt er.

Manchmal liegen Flugblätter[1] im Briefkasten.

„Hitler terrorisiert das Land!" steht da, oder „Die Nazis müssen weg! Sie ruinieren das Land!" Der Vater liest diese Blätter und wirft sie in den Kamin.

„Das wissen wir doch alles ... und?"

„Was sollen wir tun, Papa?" fragt Sophie dann.

„Ich weiß es nicht", ist die Antwort.

In der Schule sagt sie jetzt nicht mehr, was sie denkt.

In Geschichte lernt sie, warum Deutschland groß ist und die Juden böse sind.

In Deutsch, dass Juden dekadente Autoren sind.

In Französisch, dass die Franzosen keine Kultur haben.

---

1. **Flugblätter**: Druckschriften für politische Propaganda oder Werbung.

Dann gibt es jetzt ein neues Fach: Weltanschauungslehre[2]. Dort hört Sophie, wie man Juden erkennt und dass Kranke und Schwache kein Recht zu leben haben. Soll sie mit dem nationalsozialistischen Lehrer darüber diskutieren? Das hat keinen Sinn. Sie sagt nichts.

Herr Brenzel ist nicht wiedergekommen. Dann beginnt der Krieg. Man sieht immer weniger Männer auf der Straße. Die Deutschen nehmen Polen ein, sie marschieren durch Paris und durch Kopenhagen. Viele Deutsche finden die Erfolge der deutschen Truppen großartig.

Sophie sagt nichts. Sie liest viel. Klassiker. Das sind keine Nazis, und verboten sind sie auch nicht.

Kirchenklassiker. Denn die Kirche von heute, die hat sich mit den Nazis arrangiert. Am liebsten mag sie Augustinus.

Eines Nachmittags hat Mama Besuch.

Es ist eine alte Freundin von ihr. Sie kommt nur selten, denn sie arbeitet in einer anderen Stadt, in einer Klinik für Kinder mit psychischen Problemen.

Sophie mag sie gern. Aber heute ist sie etwas anders als sonst.

Die beiden Frauen sprechen nicht weiter, als Sophie ins Zimmer kommt. Und heute will Mama nicht, dass Sophie sich zu ihnen setzt.

„Musst du nicht Hausaufgaben machen, Sophie?" fragt sie.

„Nein, die habe ich schon gemacht."

„Dann geh doch bitte einkaufen. Wir brauchen Brot und Milch!"

„Das kann ich doch später machen!"

„Sophie!"

„Schon gut. Ich gehe ja."

Aber sie bleibt hinter der Tür stehen. Was haben die beiden Frauen?

„Und du denkst, die Kinder ..." hört sie die Mama sagen.

---

2. e Weltanschauung(en): Ideologie.

„Das ist sicher. Die haben sie vergast[3]."

Sophie hört die Freundin der Mutter weinen.

„Alle tot. Die haben sie umgebracht! Diese ..."

Sophie hat schon verstanden. In der Schule hatte sie es ja auch gehört.

„Mongoloide! Schizophrene! Schwachsinnige[4]! Die haben kein Recht, auf Kosten des deutschen Volkes zu leben! Und wenn die Kinder bekommen! Die müssen weg!" Weg? So war das also zu verstehen.

Ein paar Tage später liegt wieder ein Flugblatt im Briefkasten.

Es ist anders als die anderen. Es ist eine Predigt.

Bernhard von Galen, der Bischof von Münster, spricht über die Aktionen der Nazis. Aktionen gegen Jesuiten. Und dies:

„Seit Monaten bringt man aus unserem Heime für psychisch Kranke die Patienten in Bussen weg. Sie kommen nicht wieder. Kurze Zeit später erfährt die Familie, dass ihr Kranker tot ist, plötzlich gestorben. Das kann doch nur eins heißen: diese Kranken, diese Alten und Kinder hat man ermordet! Kann ein Christ so etwas hinnehmen[5]? So etwas darf die Regierung nicht tun!"

„Hat der keine Angst?" fragt Sophie.

„Sicher, aber er ist Bischof, da können auch die Nazis nicht viel tun!"

„Und warum sagen die anderen Bischöfe nichts?"

„Nicht alle sind wie der Löwe von Münster."

„Aber Recht hat er: was die Nazis tun, das darf kein Christ hinnehmen."

---

3. **vergasen**: mit Gas ermorden.
4. **r/e Schwachsinnige(n)**: Leute die von Natur aus nicht sehr intelligent sind.
5. **hinnehmen**: akzeptieren.

Was steht **im Text?**

Leseverständnis

1 **Was ist richtig?**

1 Hans ist jetzt gegen die Nazis,

   a ☐ aber er geht immer noch gern zur Hitlerjugend.

   b ☐ aber er denkt, er bekommt keine Probleme, weil er bei der Hitlerjugend ist.

   c ☐ aber er denkt, er kann etwas gegen sie tun.

2 Die Gestapo verhaftet Hans,

   a ☐ weil er Geld gestohlen hat.

   b ☐ weil er mit seiner alten Jungengruppe zusammen geblieben ist.

   c ☐ weil er nicht in der Hitlerjugend mitmacht.

3 Nach den sechs Monaten im Gefängnis geht er

   a ☐ nur noch selten wandern.

   b ☐ nicht mehr wandern.

   c ☐ jeden Tag zur Hitlerjugend.

4 Auf Flugblättern lesen Sophie und ihr Vater

   a ☐ dass Hitler schlecht für Deutschland ist.

   b ☐ dass es zu viele Arbeitslose gibt.

   c ☐ dass die Wirtschaftskrise bald zu Ende ist.

5 Von einer Freundin erfährt die Mutter

   a ☐ dass die Nazis mit behinderten Kindern Ausflüge machen.

   b ☐ dass die Nazis behinderte Kinder ins Konzentrationslager schicken.

   c ☐ dass die Nazis behinderte Kinder ermorden.

6 In einer Predigt hat Bischof Galen in Münster gesagt,

   a ☐ dass die Nazis Kranke ermorden.

   b ☐ dass die Nazis Juden ermorden.

   c ☐ dass die Nazis niemanden ermorden.

7 Sophie meint,

   a ☐ als Christ muss man etwas tun.

   b ☐ als Christ findet man gut, was die Nazis machen.

   c ☐ als Christ interessiert man sich nicht für Politik.

8 Ihr Vater sagt,

   a ☐ man muss etwas gegen die Nazis tun.

   b ☐ er weiß nicht, was man tun kann.

   c ☐ er tut schon etwas.

Grammatik

2 **Was nicht heute geschieht, sondern morgen oder übermorgen, das können wir mit dem Futur sagen. Die Form ist einfach: man konjugiert „werden" und setzt das Verb im Infinitiv ans Ende des Satzes.**

Beispiel: *Ich werde nach Amerika fahren.*

Setze die folgenden Sätze ins Futur:

1 Ich treffe sie endlich.

....

2 Wir arbeiten für eine deutsche Firma.

....

3 Die Leute lieben dich.

....

4 Wir kennen uns.

....

5 Er besucht seine Tante.

....

6 Sie steht früh auf.

....

7 Er sieht sie endlich wieder.

....

8 Ich gebe es dir zurück.

....

Wortschatz

3 Setze das passende Wort in der richtigen Form ein.

> ermorden — festnehmen (x2) — Gefängnis — Gestapo —
> hinrichten — Konzentrationslager — Strafe — vergasen — Wächter

1 Da kommt die Polizei und .... ihn
   ....

2 Kritische Leute .... die Gestapo
   ....

3 Wer etwas stiehlt oder jemanden ermordet, kommt ins
   ....

4 Wer politische Probleme macht, kommt ins ....

5 Wer etwas Falsches tut, bekommt eine ....

6 Im Gefängnis bringt dir der .... das Essen.

7 Die Nazis .... psychisch Kranke.

8 Er .... seine Tante, weil er ihr Geld will.

9 Jemand hat ihn denunziert und am frühen Morgen kommt
   die ....

10 Er hat Radio London gehört und jetzt wollen sie ihn
   ....

Sprich dich aus

4 Du bist zu kritisch und sollst ins Gefängnis. Hast du etwas zu deiner Verteidigung zu sagen? Warum soll der Richter dich freilassen? Bist du ein guter Mensch? Oder brauchen dich die anderen?

Schreib's auf

5 Ein paar Monate im Gefängnis, du hast viel Zeit Briefe zu schreiben. Schreibe deinem deutschen Freund/deiner deutschen Freundin über dein Leben im Gefängnis.

Wandervogel
Jugendbünde

Sonntagmorgen.

Eine Gruppe Jungen in kurzen Hosen kommt durchs Dorf. Sie singen:
„Wir wandern ohne Sorgen, singend in den Morgen!"
Die Bauern sehen sie an.
Was sind das für junge Leute?
„Ja, gehen die nicht in die Kirche?" fragt einer.
„Das sind Städter, die sind nicht ganz richtig im Kopf", erklärt ihm der andere.
„Studenten, das ist klar!"

Die Bauern verstehen nicht, was die Jungen da machen. Die wandern durch Wälder und über Felder, sie übernachten in Zelten und singen den ganzen Tag. Warum bleiben sie nicht zu Hause bei ihren Eltern, warum gehen sie nicht in die Kirche und essen dann ihr Sonntagsmittagessen? Was wollen sie hier auf dem Land?
Sie kommen aus der Stadt, das ist klar.
Dort, in Berlin und in Hamburg, ist das Leben zur Zeit nicht sehr schön. Industrie und Wohnhäuser wie Kasernen. In den Jahrzehnten nach

1871 hat man dort viel gebaut. Und man baut immer mehr. Es gibt kein Grün mehr dort und keinen Platz für junge Leute, die Spaß haben und zusammen sein wollen. Die Schule? Dort regiert preußischer Geist: Disziplin geht über alles. Es gibt kein Leben in der Stadt. Dann die Kontrolle: Eltern und Schule lassen einem keine Ruhe. Man soll lernen und später ... was? Geld verdienen und werden wie die Eltern.

Das alles sind, das ist auch klar, nicht die Probleme der Jungen aus Arbeiterfamilien. Die machen schnell die Volksschule zu Ende und gehen mit vierzehn in die Fabrik. Die haben keine Zeit zum Wandern.

Seit 1901 gibt es offiziell den „Wandervogel". In Steglitz bei Berlin (heute ist es ein Stadtteil) organisiert diese Gruppe von Gymnasiasten erst kurze Wanderungen um Berlin herum, dann immer längere Ausflüge. Sie gehen zu Fuß, sie wollen ihr Leben fühlen und nichts Mechanisches akzeptieren, auch keinen Zug und kein Auto. Sie haben wenig Geld: sie schlafen in Zelten und das Essen machen sie sich selbst.

All dieses Wandern ist natürlich in Deutschland nicht neu. Es wanderten die Mönche im elften Jahrhundert. Es wanderten die Handwerker nach ihrer Lehrzeit (das tun manche heute noch). Es wanderten die Studenten (auch die tun das noch): sie studierten immer in mehr als einer Stadt. Dann kamen die Romantiker, sammelten

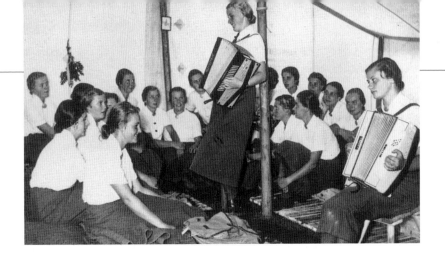

Lieder der Wanderer und sprachen von der Liebe zur Natur. Das alles zusammen ist eine starke Tradition. Dazu kommt jetzt die Situation in den deutschen Großstädten, die erst spät, viel später als in England, aber auch sehr schnell industrialisiert worden sind. Und die kulturelle Atmosphäre im Deutschen Reich, das die Preußen dominieren, ist nicht sehr anregend.

Und die Mädchen? Anfangs ist der Wandervogel reine Jungensache. 1907 kommen bei einigen Gruppen auch Mädchen mit. Die wandern allerdings nur kurze Strecken, und meistens getrennt von den Jungs. Und doch ist das für viele junge Mädchen aus bürgerlichem Hause eine ganz neue Erfahrung: ohne Kontrolle durch die freie Natur laufen, singen, tanzen und spielen, wie sie wollen. Das Frauenbild ändert sich. Frauen beginnen in dieser Zeit auch in Deutschland die Universität zu besuchen. Ideal ist nicht mehr das brave naive Mädchen, das nur daran denkt, einen jungen Mann aus guter Familie zu heiraten.

1909 hat ein Lehrer, der Wanderfahrten organisiert, eine wunderbare Idee: er will, dass es in allen schönen Wanderzielen in Deutschland Herbergen gibt, wo die jungen Leute für wenig Geld übernachten können. In den Sommerferien lässt er in Schulen Betten aufstellen. Dann renoviert er eine Burg und macht daraus die erste Jugendherberge.

Die Jugendbewegung hat großen Erfolg. Da versuchen etwa ab 1912 auch die Kirchen und die politischen Parteien Jugendorganisationen zu gründen. So beginnen jetzt auch Arbeiterkinder, aus der Stadt in die Natur zu fahren. Doch ist das natürlich nicht das, was die Wandervögel wollen: die wollen sich nicht von Erwachsenen kommandieren lassen. Aber was hier in ganz Deutschland, in Österreich und der Schweiz immer klarer wird, ist: die Jugend ist eine Zeit für sich, Jugendliche müssen ihre eigenen Erfahrungen machen können. Aus der Jugendbewegung gehen auch Reformschulen hervor. Dort steht musikalische und künstlerische Erziehung im Vordergrund und Demokratie gibt es auch für die Schüler.

Sehr viele Jugendbewegte ziehen 1914 begeistert in den Krieg. Doch die Realität ist anders als die romantischen Vorstellungen, die sie davon haben. Noch an der Front organisieren sie sich neu. Man sagt, etwa ein Viertel der jungen Männer aus den verschiedenen Wandervogel-Organisationen ist im Krieg gefallen.

Nach 1918 lebt die Jugendbewegung weiter. Die meisten Gruppen nehmen jetzt aber einen bündischen Charakter an. Nicht mehr das Individuum, sondern die Gruppe soll im Zentrum stehen und, am Ende, die Nation. Die nationalistische Tendenz ist, nach dem Frieden von Versailles, sehr stark. Sehr stark scheint auch die Attraktivität der nationalsozialistischen Ideen. Doch bis 1933 ist die geistige und politische Lage sehr unklar. Die meisten sind nationalistisch, aber auch sozialistisch orientiert, und ob sie mehr nach rechts oder mehr nach links gingen, das war lange Zeit nicht recht klar.

Hitler hingegen hat da sehr klare Ideen. Die Wandervögel und die Jungenbünde müssen sich auflösen und die Jungen in die Hitlerjugend gehen. Da wandert man auch, aber meistens marschiert man. Die Hitlerjugend ist hierarchisch organisiert, die Disziplin militärisch. Anfangs glauben viele Jugendbewegte, sie können die HJ von innen reformieren. 1937/38 lässt Hitler diese jungen Männer sechs Monate ins Gefängnis stecken. Bei ihnen ist auch Hans Scholl. Niemand reformiert die Hitlerjugend, die jetzt auch die deutschen Jugendherbergen kontrolliert.

Nach dem Krieg gibt es bald neue Gruppen, Jugendbewegte sind nicht an eine Partei oder Kirche gebunden, sie wollen nicht von Erwachsenen kontrolliert werden, sie lieben die Natur und fahren aus der Stadt raus, wann immer es geht. Und sie wandern und singen. Es gibt sie noch, diese Gruppen.

Fragen zum Text

1 **Beantworte kurz die folgenden Fragen.**

> **1** Aus welchen Traditionen kommt die Wandervogelbewegung?
>
> **2** Wie war die Atmosphäre im Alltagsleben der jungen Leute?
>
> **3** Wie änderte sich die Bewegung nach 1914?

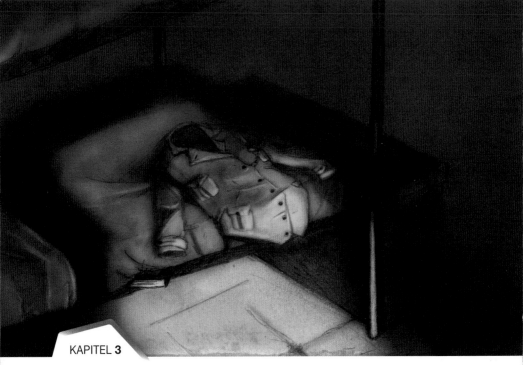

Noch ein halbes Jahr?!

Nach dem Abitur will Sophie endlich studieren. Aber sie muss erst sechs Monate zum Arbeitsdienst. Alle jungen Deutschen müssen dahin. Sie müssen auf dem Land helfen oder beim Bau von Straßen. Die jungen Männer kommen schon an die Front, wo sie militärische Hilfsarbeiten leisten.

Die Disziplin ist streng. Alle bekommen eine Uniform und ein Bett in einem großen Saal. Bücher dürfen sie nicht mitbringen. Jeden Morgen gibt es einen Appell und abends kommt oft noch ein Lehrer, der ihnen die nationalsozialistische Weltanschauung erklärt.

Sophies Gruppe arbeitet auf dem Land. Die Arbeit ist hart.

„Denkt an eure Brüder und Väter an der Front! Jede deutsche Frau muss tun, was sie kann! Ihr arbeitet für das deutsche Volk!" Mehrmals am Tag muss Sophie Nazipropaganda über sich ergehen lassen. Und mit den anderen Mädchen mag sie nicht sprechen. Die verstehen sie nicht.

Eines Morgens, beim Bettenmachen, sind die anderen schneller. Gerda steht neben ihr.

„Sophie! Bist du noch nicht fertig? Wir müssen ...“

Sie sieht das Buch, das Sophie in der Hand hat.

„Was hast du da? Ein Buch?“ leiser spricht sie weiter: „Das ist doch verboten! Was ist es denn? Ein Liebesroman? Kannst du...“

Sophie lässt sie nicht weiterreden.

„Nein“, erklärt sie. „Augustin. Bekenntnisse.“

„Augu... was? Ist das nicht so ein Heiliger? Du hast sie ja nicht alle[1]!“

Sophie hat das Buch wieder unter die Matratze gelegt.

Gerda ist schon in den Frühstücksraum gelaufen. „Wisst ihr, was die liest?“ hört Sophie sie laut lachend fragen. „Den heiligen Augustin!“ Jetzt lachen alle.

„Willst du Nonne werden?“

„Oder Heilige?“

Sophie antwortet nicht.

Sechs Monate sind lang, wenn man sich allein fühlt, aber nicht allein ist.

Nur am Wochenende haben die Mädchen ein bisschen Freizeit.

Die anderen gehen dann tanzen. Sophie nicht, sie geht lieber ein bisschen spazieren und liest. Ja, die „Bekenntnisse“ Augustins hat sie auch hier dabei.

So geht es auch an diesem Samstag.

---

1. **sie nicht alle haben:** nicht normal sein.

„Sophie, wir gehen ins Dorf, tanzen! Kommst du mit? Es gibt hübsche Jungs da!"

„Nein, ich bin müde, ich bleibe zu Hause!"

„Wie du willst!" die anderen sehen sie böse an. „Wenn du lieber allein bleibst!"

Dann gehen sie. Sophie hört sie noch laut lachen.

In fünf Minuten ist sie auch fertig.

Heute hat sie bei der Arbeit eine kleine Kapelle in der Nähe gesehen.

Da will sie hingehen.

Eine kleine Barockkapelle, zwischen hohen Bäumen gelegen.

Die Tür ist offen. Sophie hört Orgelmusik.

Sie geht in der Kapelle nach oben.

Da sitzt ein alter Mann an der Orgel.

Er sieht sie kommen, er sieht interessiert auf das Buch, das sie unter dem Arm trägt.

„Augustinus", sagt er und lächelt: „Ohne Staat kann es kein Recht geben".

„Und ohne Recht keinen Staat", zitiert sie.

Der Alte lächelt. Sie haben sich verstanden. Das geht manchmal ganz schnell in dieser Zeit der Angst.

„Können Sie spielen?" fragt er sie.

„Klavier ja. Darf ich es versuchen?"

„Ja, aber ich muss jetzt gehen. Spielen Sie. Sie können jeden Abend kommen, wenn sie möchten. Auf Wiedersehen."

„Danke! Auf Wiedersehen."

Sophie setzt sich an die Orgel und versucht zu spielen. Es geht ganz gut.

Sie sitzt lange da und spielt. Es geht doch noch. Auch nach

Monaten dummer Arbeit beim Arbeitsdienst ist Sophie ganz die Alte. So geht es.

Jeden freien Abend kommt sie jetzt in die Kapelle und spielt auf der Orgel.

Langsam wird ihr Spiel besser.

Und dann sind es jetzt nur noch wenige Wochen.

Doch eines Tages müssen die Mädchen abends noch einmal zum Appell.

Vor ihnen steht die Kompanieführerin.

„Deutsche Mädchen! Deutschland braucht euch! Unsere Männer stehen an der Front! Und auch ihr werdet euren Teil dazu tun. Deutsche Männer und Frauen, gemeinsam für den Endsieg! Nach dem Arbeitsdienst macht ihr noch sechs Monate Kriegshilfsdienst! Voller Freude werdet ihr unseren Männern bei ihrem Kampf helfen! Unsere Kompanie geht nach Osten! Heil Hitler!"

„Heil Hitler!" antworten die Mädchen.

Dann gehen sie in den Schlafsaal.

„Noch ein halbes Jahr!" Einige Mädchen weinen. Sie wollen endlich wieder nach Hause.

Andere finden das nicht so tragisch.

„Mein Freund ist in Russland an der Front!", sagt eine, „und der weint nicht. Wie lange der da bleibt, weiß keiner! Und vielleicht kommt er nicht wieder …"

Andere sagen: „Für den Führer! Für Deutschland!"

Sophie schweigt. Sie kann auch nicht weinen.

Noch ein halbes Jahr. Aber sie weiß: sie schafft das.

Was steht **im Text?**

Leseverständnis

1 **Was ist richtig?**

a   Sophie kann Klavier spielen.

b   Sophie geht gern zum Arbeitsdienst.

c   Sophie versteht sich gut mit den anderen Mädchen.

d   Sophie geht jeden Abend tanzen.

e   Lesen ist beim Arbeitsdienst verboten.

f   Sophie hat ein Buch bei sich.

g   Die anderen Mädchen wollen das auch lesen.

h   Sophie möchte so lange beim Arbeitsdienst bleiben, wie es geht.

i   Sophie liest ein Buch von einem christlichen Denker.

j   Sophie macht den ganzen Tag Propaganda für die Nazis.

k   Sophie geht Samstagabend spazieren.

l   Sie geht in den Dom der Stadt.

m   Sie geht zu einer Kapelle, aber die ist verschlossen.

n   Sophie will gern tanzen gehen.

o   Sie diskutiert stundenlang mit einem alten Mann.

p   Der alte Mann versteht sie sofort.

q   Der alte Mann kennt Augustinus.

r   Sophie spielt in der Kapelle Orgel.

s   Sophie bringt auch ihre Freundin mit.

t   Ihre Freundin hilft ihr beim Bettenmachen.

u   Der Arbeitsdienst dauert ein halbes Jahr.

v   Sophie findet sechs Monate zu wenig.

w   Nach dem Arbeitsdienst will Sophie noch sechs Monate Kriegsdienst machen.

x   Nach dem Arbeitsdienst kann Sophie endlich studieren.

y   Der Kriegshilfsdienst dauert noch einmal sechs Monate.

z   Es ist Krieg und viele junge Männer sind an der Front.

2 Wie ist die richtige Reihenfolge. Sortiere.

A Sophie: Schule — Universität — Arbeitsdienst — Kriegshilfsdienst

B Hans: Hitlerjugend — Distanz zu den Nazis — Gefängnis —
Nürnberger Parteitag — Jungengruppe

Grammatik

3 Was passt?

Sophie muss zum Arbeitsdienst, (1) .... kann sie
nicht sofort studieren. (2) .... Arbeitsdienst darf sie
nicht lesen, (3) .... sie hat ein Buch (4) ....
sich. (5) .... Abends geht sie in (6) ....
Kapelle, (7) .... sie Orgel spielt. Da geht sie dann öfter
(8) .... (9) .... dem Arbeitsdienst muss sie noch
sechs Monate Kriegshilfsdienst machen. (10) .... ist sie
traurig, (11) .... sie will endlich studieren. Insgesamt ist sie
(12) .... Jahr weg.

a deshalb — doch — oft

b durch — während — beim

c nur — allein — doch

d mit — bei — für

e Ein — Einem — Eines

f ein — eine — einer

g in der — in die — auf der

h her — hin — durch

i Nach — Neben — Hinter

l Deswegen — Weil — Denn

m deswegen — weil — denn

n einem — eines — ein

Wortschatz

4 Wie heißt das Substantiv?

a   schön   →   die Schönheit

b   dumm   →   ....

c   klug   →   ....

d   kalt   →   die Kälte

e   warm   →   ....

f   nass   →   ....

g   heiß   →   ....

h   arm   →   ....

i   reich   →   ....

j   krank   →   ....

k   mutig   →   ....

l   ängstlich   →   ....

Sprich dich aus

5 Du machst im Fernsehen bei einer Reality-Show mit. Du lebst zwei Monate mit anderen acht jungen Leuten in einem Haus. Die Kamera ist immer dabei. Aber du darfst nicht lesen. Bücher sind hier verboten. Bist du dafür oder dagegen? Erkläre den anderen, was du denkst.

Schreib's auf

6 Du musst ein Jahr lang ein Soziales Jahr ableisten. Du lebst in einer Kaserne mit achtzig anderen Jungen/Mädchen. Ihr müsst den ganzen Tag arbeiten, abends erklärt man euch, wie schön euer Land ist, lesen ist verboten. Vielleicht gehst du samstags mit den anderen tanzen. Schreib deinem Freund/deiner Freundin einen Brief.

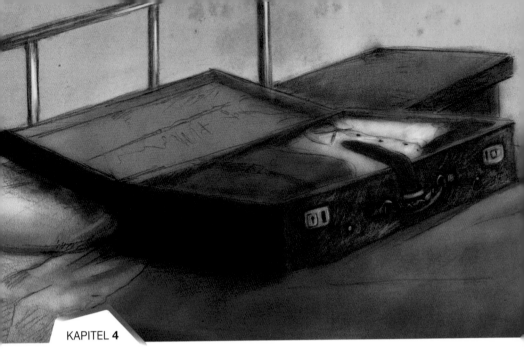

KAPITEL **4**

SAPERE AUDE

Sophie kann es noch nicht glauben. Morgen beginnt sie endlich **mit dem Studium. Morgen beginnt ihr neues Leben.**

Sie will Biologie und Philosophie studieren. Ihr großer Bruder Hans ist schon da. In seiner Wohnung ist ein Zimmer für sie frei.

Hans holt sie am Bahnhof ab. Ein junger Mann ist bei ihm. „Alexander Schmorell", erklärt der Bruder. „Mein bester Freund. Aber pass auf, er ist Russe!"

Alexander lacht.

„Ein Russe?"

„Meine Mutter ist Russin ..."

„Dann ist das nicht leicht für Sie im Moment..."

„Sag du zu mir ..."

„Wie geht es Papa?" fragt Hans.

„Gut! Jetzt ist er wieder gesund!" antwortet Sophie und sieht Alexander an. Vor ein paar Monaten hatte die Gestapo ihren Vater mitgenommen. Er hatte im Büro etwas über „diesen idiotischen Krieg" gesagt und seine Sekretärin hatte es der Polizei erzählt. Nach zwei Wochen war er wieder nach Hause gekommen, müde und krank. Konnte sie das Alexander sagen?

„Alexander weiß alles", erklärt ihr Hans.

„Alles? Na ja, weißt du, sie warten jetzt auf den Prozess. Mama sagt ihm immer, er soll aufpassen. Aber er ist ganz der Alte."

„Das ist auch gut so", meint Hans. Alexander nickt.

Dann gehen sie in die Stadt.

Sophie ist glücklich.

Die Wohnung ist schön, München gefällt ihr, und mit ihrem Bruder und Alexander kann sie endlich über alles sprechen. Aber erst einmal feiern sie.

Sie stellt den Kuchen auf den Tisch.

„Kuchen? Seit Monaten habe ich keinen mehr gesehen!" sagt Alexander.

Es ist Krieg. Es gibt nicht viel zu kaufen. Mutter hat die Eier für den Kuchen „organisiert"[1].

Hans macht Tee. Nach dem Essen nimmt Hans die Balalaika[2] und spielt darauf. Alexander tanzt russische Tänze.

Und noch ein Freund von Hans kommt. Christoph Probst. Doch er kann nicht lange bleiben.

„Meine Frau ist mit dem Kind allein...", erklärt er Sophie.

„Du bist ... verheiratet?"

„Ja, er hat früh angefangen!" lacht Hans.

Die anderen drei sitzen noch bis in die Nacht zusammen. Sie tanzen und singen.

1. **organisiert**: hier: etwas organisieren: etwas trotz großer Schwierigkeit finden.
2. **Balalaika**: russisches Musikinstrument.

Und sie diskutieren auch. Sollte man nicht etwas gegen Hitler tun? Aber was?

„Wir sind zu wenige!" meint Hans.

„Das glaube ich nicht", sagt Sophie. „Viele Leute sind jetzt gegen Hitler, sie sagen es nur nicht. Sie haben Angst. Aber wenn man ..." sie spricht nicht weiter.

„... sind gegen Hitler? So wie Papas Sekretärin?" Hans lacht.

„Doch, Mamas Freundinnen, die Priester, die ..."

„Ja, die? Siehst du, es sind nicht so viele. Und die meisten Priester finden Hitler großartig!"

„Wir können Flugblätter schreiben!", sagt Sophie.

„Nein. Für wen denn?" fragt Hans. „Und dann ist das zu gefährlich!"

So diskutieren sie lange. Was sie tun können, wissen sie nicht.

Drei Tage später beginnen die Vorlesungen.

„Geh zu Huber!", hatte ihr Hans gesagt. Huber liest über moderne Philosophie. Der Vorlesungssaal ist voll.

Huber ist ein großer, magerer Mann mit kurzen grauen Haaren.

Er sagt nicht „Heil Hitler!", als er in den Saal kommt.

„Sapere aude!", beginnt er. „Habe den Mut, selbst zu denken. Habe den Mut zu wissen! Das sagt unser Königsberger Philosoph. Die meisten Leute haben keine Lust dazu. Sie sind zu faul und zu feige, schreibt Kant. Denn, wer selber denken will, der darf keine Angst haben. Auch keine Angst, das zu sagen, was er denkt."

Sophie kann es nicht glauben. Hier, mitten im Deutschland der Nazis, sagt ein Professor so etwas?

Die Vorlesung ist fast zu Ende, da geht die Tür auf. Eine Gruppe uniformierter Studenten kommt in den Saal. Das sind die vom nationalsozialistischen Studentenbund. Sie setzen sich in die letzte Reihe.

Huber sieht sie an. „Pünktlichkeit, meine Herren, ist eine preußische Tradition. Das sagt doch auch unser geliebter Führer." Huber lächelt. Die Nazis sind böse. Die anderen lachen.

„Dann noch etwas, meine Damen und Herren. Man sagt mir, in der Bibliothek steht noch ein Exemplar eines Buches von Sigmund Freud. Bitte passen Sie auf: lesen sie das nicht. Das ist nicht gut für Ihren germanischen Geist! Ach so, und: das nächste Mal sprechen wir über Spinoza. Das ist der wichtigste ..."

„Ein Jude!" schreien jetzt die Nazistudenten.

„Ja", lächelt Huber.

„Das gibt es nicht!" sagt Sophie zu Hause zu Hans und Alexander.

„Doch, das ist Huber!"

„Gibt es noch andere, die so interessante Vorlesungen halten?"

„Nein. Nur Huber. Die anderen denken nichts, sagen nichts, wollen nichts, oder besser: nur ihre Arbeit und ihr Geld wollen sie. Der Rektor ist ein harter Nazi und läuft immer in Uniform durch die Uni. Also schon so ein Huber ... hast du gesehen, wie voll seine Vorlesung ist?"

„Ja, aber eine Gruppe Nazis war auch da."

„Die kommen immer. Die wollen dem Huber Angst machen. Sicher möchten sie ihn auch gern denunzieren. Aber er ist zu klug..."

„Sapere aude!" sagt Sophie.

„Ja, das verstehen diese Typen nicht!" Sie lachen.

Viele Studenten gehen zu Professor Huber. Sophie sieht: sie sind nicht allein. Manchmal spricht sie mit anderen Studenten über die politische Situation. Aber sie ist immer sehr vorsichtig. Sie weiß: die Gestapo hat überall ihre Spitzel[3].

---

3. **r Spitzel**: Spion.

Was steht **im Text?**

Leseverständnis

1 **Welche Antwort ist richtig?**

1 Wo studiert Sophie?
   a ☐ In Ulm
   b ☐ In München.

2 Wer studiert schon dort?
   a ☐ Ihr Vater.
   b ☐ Ihr Bruder.

3 Was studiert sie?
   a ☐ Biologie und Philosophie.
   b ☐ Politologie und Philosophie.

4 Wo wohnt Sophie?
   a ☐ Bei ihrem Bruder.
   b ☐ Bei ihrer Tante.

5 Woher kommt Alexanders Mutter?
   a ☐ Aus Bayern.
   b ☐ Aus Russland.

6 Wo ist Sophies und Hans' Vater gewesen?
   a ☐ In Russland.
   b ☐ Im Gefängnis.

7 Worüber spricht Sophie mit Alexander und Hans?
   a ☐ Über Politik.
   b ☐ Über das Wetter.

8 Wer ist Professor Huber?
   a ☐ Ein Biologe.
   b ☐ Ein Philosoph.

9 Worüber spricht er in der Vorlesung?
   a ☐ Über Nietzsche.
   b ☐ Über Kant.

10 Wer mag Huber nicht?
   a ☐ Die Nazis.
   b ☐ Sophie.

2 **Weißt du's?**

1 Warum war das Buch von Freud interessant?

a ☐ Es geht um Sex.

b ☐ Die Nazis hatten das Buch verboten.

c ☐ Es geht um eine spannende Geschichte.

2 Wie heißt der Text von Kant, über den Huber spricht?

a ☐ Was ist Aufklärung?

b ☐ Mein Gemüsegarten.

c ☐ Wanderungen in den Alpen.

Grammatik

3 **Welches Modalverb passt? In welcher Form?**

1 Der Professor sagt, wir .... selbst denken.

2 Du .... im Nazideutschland nichts Kritisches sagen.

3 Wer Hitler kritisiert, ... ins Gefängnis.

4 Sophie .... nach einem Jahr Arbeits- und Kriegshilfsdienst endlich studieren.

5 Wer einen Universitätsabschluss möchte, ...
Prüfungen machen.

6 Wenn du zur Vorlesung willst, ... du früh aufstehen.

7 Wenn du dünner werden willst, ... du nicht so viel Mayonnaise essen.

8 Nach der Schule .... du sofort nach Hause kommen, sagt Mama.

9 Die Nazis .... Behinderte vergast haben.

10 Die Kinder kommen nicht ins Heim zurück. Sie ....
.... tot sein.

4 Zu oder nicht zu? Setze ein „*zu*" ein, wo es fehlt.

1 Du hast keine Zeit mit mir ins Kino .... gehen?

2 Ich will dich lieber nicht mit ihm allein .... lassen.

3 Kannst du nicht einmal ohne mich das Abendessen .... kochen?

4 Ihr braucht mir nicht .... helfen.

5 Statt im Bett .... liegen und .... schlafen solltest du lieber lernen.

6 Er kam ins Büro, ohne guten Tag .... sagen.

7 Wir haben eigentlich keine Lust .... tanzen.

8 Willst du Montagmorgen wirklich zu Fuß in die Schule .... gehen?

9 Hast du heute nicht noch .... arbeiten?

10 Schokolade .... essen kann wirklich krank machen.

Wortschatz

5 Setze die passenden Wörter ein.

> **Abschluss — Assistent — Professor — Prüfung**
> **Raum — Saal — Seminar — Vorlesung**

1 Der .... steht auf, wenn der Professor kommt.

2 Am Ende des Studiums musste man in Deutschland eine große .... machen.

3 Wenn du Karriere machen willst, musst du einen guten .... haben.

4 Der Deutschkurs findet heute in .... 106 statt.

5 Für die Vorlesung von Professor Huber brauchen wir einen großen ....

6 Der .... ist nicht da, die Vorlesung fällt aus.

7 Der Assisten hält ein .... über Kant.

8 Der Professor hält eine ....über Moralphilosophie.

6 Was ist was?

Abschlussarbeit — Klassenarbeit — Prüfung — Test — Zulassungstest

1   Ich bin sehr nervös heute. Ein ganzes Semester haben wir germanische Riten studiert und heute muss ich alles erzählen und auf jede Frage antworten können, die mir die Professorin zu diesem Thema stellt.

2   Zwei Monate habe ich gelernt. Ich will Zahnmedizin studieren. Da hatten sie früher einfach den Numerus Clausus, man musste gute Noten haben. Aber heute wollen sie wissen, ob wir wissen, was wir wissen müssen. Mathematik, Biologie, Chemie.

3   Latein! Heute muss alles gut gehen. Ich habe bis jetzt eine vier und eine fünf geschrieben. Wenn es heute schlecht läuft, bekomme ich am Ende eine fünf in Latein. In Mathe habe ich garantiert eine fünf dann muss ich vielleicht das Jahr wiederholen.

4   Das geht schnell. Vierzig Minuten, zwanzig Fragen zur Molekularchemie, das geht schon. Und dann ist in Chemie natürlich auch die mündliche Note wichtig.

5   Da steht ja, das soll nicht länger als sechszig Seiten sein, aber ich habe gehört, manche schreiben hundert oder mehr. Da muss ich auch auf achtzig Seiten kommen, sonst bekomme ich eine schlechte Note und dann finde ich keine Arbeit.

Sprich dich aus

7 Deine Eltern wollen, dass du Jura studierst. Sie denken, dann kannst du ohne Probleme Arbeit finden. Du hast aber keine Lust dazu. Du möchtest lieber etwas anderes studieren. Erkläre ihnen, was und warum und was du nach dem Studium machen willst.

Schreib's auf

8 Du bist an deinem Studienort angekommen und hast auch schon ein Zimmer gefunden. Du wohnst mit anderen sieben Studenten in einer großen Wohnung in der Innenstadt. Die ersten Vorlesungen hast du auch schon besucht. Sehr interessant waren sie nicht, aber die anderen Studenten sind nett. Jetzt ist es Zeit, deinen Eltern einen Brief zu schreiben, denn du hast kein Geld mehr.

Die Weiße Rose

Eines Tages liegen Flugblätter im Vorlesungsraum.

Die Studenten lesen. Auch Sophie. Dann stecken manche die Blätter in die Tasche. Die meisten lassen sie auf dem Tisch liegen. Man sieht: sie haben Angst. Aber wer kann das geschrieben haben? Von wem können die Blätter sein?

Ein Kulturvolk wie die Deutschen lässt sich von einer Gruppe von Verbrechern regieren? Schämt sich nicht jeder ehrliche [1] Deutsche? Denkt er an unsere Kinder und an die Schande [2] , die auch über sie kommt, wenn erst einmal alle Verbrechen [3] dieses

---

1. **ehrlich**: hier: rechtschaffen.
2. **e Schande**: etwas auf das man nicht stolz sein kann; man muss sich schämen.
3. **s Verbrechen** (=): kriminelle Aktion.

Regimes bekannt sind? Ist das deutsche Volk schon so korrupt, dass es nichts tut? Gibt es das Höchste weg, was wir Menschen haben? Die Freiheit! Sind die Deutschen schon so ohne alle Individualität, so sehr Masse ohne Geist und Form? Dann ist es gut, dass sie untergehen [4]. Goethe sagt, die Deutschen seien [5] ein tragisches Volk, wie die Juden und die Griechen. Aber heute sind die Deutschen wie die Schafe, die nicht mehr selbst denken, sondern alles mit sich machen lassen. Doch so ist das nicht: sie haben nur zu langsam verstanden, wer Hitler ist und was er will. Jetzt ... scheint es zu spät: alle haben Angst. Sie wissen: wenn sie etwas sagen, kommen sie ins Gefängnis, oder sie müssen sterben. Soll es so weitergehen? Wollen wir warten und zusehen, wie unsere jungen Männer in Russland fallen, wie unsere Städte von Bomben zerstört werden?

'Und das schöne Wort der Freiheit
spricht man leise in den Wind
bis an einem schönen Tage
wir an userm Tempel stehen
freudig, weil wir's wieder sind:
Frei! Frei! Frei!'
(Goethe)

Bitte geben Sie dieses Blatt weiter!

Nach der Vorlesung läuft Sophie schnell nach Hause.
Sie muss es Hans sagen.

---

4. **untergehen**: das macht die Sonne abends.
5. **seien**: Konjunktiv von sein.

Es gibt schon eine Gruppe von Studenten, die keine Angst mehr haben. Das Flugblatt haben Studenten geschrieben, keine Frage. Oder Professoren? Nein, die doch nicht.

„Hans!" keine Antwort. Wo kann er sein?

Sophie geht in sein Zimmer.

Sie setzt sich an seinen Schreibtisch.

Soll sie in die Uni zurückgehen? Sie hat noch Vorlesungen. Aber sie ist zu aufgeregt[6].

Da sieht sie in das Buch, das da offen auf dem Schreibtisch liegt.

Es ist kein Medizinbuch, es ist Goethe.

Sophie liest: „Und das schöne Wort der Freiheit..."

Das ist derselbe Text wie im Flugblatt!

Das ... kann das sein? Kannte er den Text schon? Nein, das Flugblatt war neu. Dann ... hat Hans das Flugblatt geschrieben! Und ihr hat er nichts gesagt! Natürlich nicht: sie ist noch immer seine kleine Schwester!

Sophie wartet auf ihn.

Am Nachmittag kommt Hans nach Hause.

Sie sitzt immer noch an seinem Schreibtisch.

„Sophie?" fragt er.

„Ich mache da mit!"

„Was? Wo?"

„Beim nächsten Flugblatt mache ich mit!"

„Das ... das geht nicht, das ist zu gefährlich!"

„Du denkst: Frauen sollen nur an die Küche denken, wie? Nur Männer gehen in den Krieg! Meinst du das?" Sie wird jetzt ein bisschen laut. „Wir sind alle im Krieg, Hans!"

---

6. **aufgeregt**: wenn etwas sehr Schönes passiert oder es Stress gibt.

An diesem Abend kommt sie mit in die Wohnung, wo Hans sich mit seinen Freunden trifft.

Auch Christoph und Alexander sind dabei.

„Ich habe mir schon gedacht, dass du mitmachen willst", sagt Alexander und lacht.

„Da gibt es nichts zu lachen!" Hans ist nervös. „Das ist gefährlich, ich ..."

„Habt Ihr eigentlich einen Namen für die Gruppe?" fragt Sophie.

„Es muss etwas Schönes sein!" sagt Christoph. „Etwas wie ..."

„Rote Rosen, rote Lippen, roter Wein?" fragt Alexander.

„Ach! Lass das!"

„Er hat Recht", sagt Sophie. „Rose ist gut. Die ist schön, jeder liebt sie, aber sie sticht [7]. Nur rot darf sie nicht sein. Rot ist Blut. Wir leben in einem Meer von Blut. Der Krieg, die Lager ..."

„Weiße Rose?" fragt Hans.

„Ja! Weiße Rose!" sagen Alexander und Christoph wie im Chor.

„Und das nächste Flugblatt kommt von der Weißen Rose!"

Doch das nächste Flugblatt muss warten.

Am nächsten Tag kommt ein Brief.

Hans lacht.

Sophie sieht ihn an.

„Die Deutsche Wehrmacht [8]!"

„Musst du ...?"

„Ja, Krieg spielen! Nach Russland. Aber ..." er sieht seine Schwester an. „Nur im Lazarett. Und nur sechs Monate. Das habe ich schon einmal gemacht, in Frankreich. Bald bin ich wieder hier

---

7.   **stechen**: 'pieks' machen.
8.   **e Wehrmacht**: Militär der Deutschen, heute Bundeswehr.

und studiere weiter. Also mach dir keine Gedanken!" Er gibt ihr einen Kuss.

Die ganze Studentenkompanie, so heißt das jetzt: auch die anderen Medizinstudenten desselben Semesters müssen sechs Monate an die Front.

Sophie bringt Hans, Alexander und Christoph zum Zug.

Jetzt ist sie allein in der großen Stadt.

Auch ihre Mutter ist allein. Sophie fährt oft zu ihr.

Der Vater hat seinen Prozess bekommen und muss vier Monate ins Gefängnis.

Aber ob in Ulm oder in München: der Krieg kommt schnell näher.

Nachts gibt es oft Bombenalarm und sie müssen in den Keller unter ihrem Haus. Wieder auf der Straße, sieht Sophie zerbombte [9] Häuser und weinende Menschen.

Und auch zu essen gibt es immer weniger.

Kann dieser Krieg noch lange dauern?

Die Briefe von Hans sind recht kurz. Er hat Angst vor der Zensur.

Aber schon das Wenige, was er schreibt, ist schrecklich.

Er ist durch Warschau gekommen, wo die Juden in einem Getto leben müssen.

„Das habe ich nicht gedacht, dass sie so etwas tun können", schreibt er.

---

9.   **zerbombt**: von Bomben kaputt gemacht.

Was steht **im Text?**

Leseverständnis

1 **Verbinde.**

a Hans hatte gesagt,   c In der Uni liest Sophie

b Sie läuft nach Hause,   d Hans sagt,   e Sophie will aber

1 ☐ ein Flugblatt gegen die Nazis.

2 ☐ aber Hans ist nicht da.

3 ☐ auch mitmachen, wenn Hans Flugblätter schreibt.

4 ☐ etwas gegen die Nazis zu machen ist zu gefährlich.

5 ☐ Sophie soll nicht bei den Flugblatt-Aktionen mitmachen.

2 **Das Flugblatt. Was steht darin, was nicht?**

a → Ein Goethe-Zitat.

b → Die Nazis ermorden Juden.

c → Bei den Nazis gibt es keine Arbeitslosen mehr.

d → Goethe sagt, die Deutschen sind ein Volk von Schafen.

e → Die Deutschen begehen Verbrechen.

f → Die Deutschen haben Angst.

g → Die Deutschen sind alle Nazis.

3 **Was ist richtig?**

1 Hans, Sophie und Alexander geben der Gruppe den Namen

a ☐ Rote Rosen.

b ☐ Weiße Rose.

c ☐ Tote Hose.

2 Hans, Sophie und Alexander

a ☐ machen sofort ein zweites Flugblatt.

b ☐ können erstmal nichts machen.

c ☐ demonstrieren auf der Straße.

3 Hans und Alexander

a ☐ müssen nach Russland an die Front.

b ☐ müssen nach Frankreich an die Front.

c ☐ müssen nach Hause, denn alles ist zerbombt.

Grammatik

4 **Setze die folgenden Sätze ins Aktiv.**

1   Die Kinder werden fotografiert.

....

2   Der Student wird vom Professor geprüft.

....

3   In der Mensa wird gegessen.

....

4   Auf Hitler werden viele Attentate verübt.

....

5   Hans wird mit den Flugblättern gesehen.

....

6   Sophie wird ins Gefängnis gesteckt.

....

7   Von den Nazis sind viele Kinder vergast worden.

....

8   Von den Deutschen sind viele Verbrechen verübt worden.

....

5 **Setze die folgenden Sätze ins Passiv.**

1   Er küsst sie.

....

2   Er gibt ihr ein Flugblatt.

....

3   Der Assistent prüft heute die Studenten.

....

4   Er verübt ein Attentat auf Hitler.

....

5   Man spricht nicht gern über Politik.

....

6   Man arbeitet.

....

Wortschatz

6 Setze die passenden Wörter ein.

> Angriff — Front — Gewehr — Niederlage — Offizier
> Rückzug — Sieg — Verteidigung

1 Der deutsche .... auf Polen war der Beginn des Krieges.

2 An der .... fallen viele Soldaten.

3 Der .... schreit seine Kommandos.

4 Die Deutschen hofften noch 1942 auf einen .... über die Alliierten.

5 Nach Stalingrad begann der .... der deutschen Truppen.

6 Der Erste wie der Zweite Weltkrig endete mit einer .... Deutschlands.

7 Der Soldat hat sein .... immer bei sich.

8 Zur .... braucht man eine Armee.

Sprich dich aus

7 In Belutschistan gibt es Krieg. Die Ostbelutschistaner kämpfen gegen die Westbelutschistaner, weil sie sich nicht leiden können. Die Regierung deines Landes will Soldaten nach Belutschistan schicken. Was meinst du? Soll dein Land intervenieren? Oder sagst du: unsere Soldaten bleiben zu Hause?

Schreib's auf

8 Wie viele deutsche und italienische Soldaten bist du in Russland desertiert. Du hast in der Ukraine einen jungen Mann/ eine junge Frau kennen gelernt und willst dir dort in der Anonymität eine neue Existenz aufbauen. Du wirst nie wieder nach Hause kommen. Schreibe deiner Mutter einen Brief, in dem du ihr deine Motive und deine Situation erklärst.

Sophie Scholl
Die Weiße Rose

Ein dokumentarischer Spielfilm stellt den Regisseur vor einen Konflikt: Soll er möglichst genau nacherzählen, was wirklich geschehen ist, oder soll er versuchen, die Sache möglichst spannend zu machen? Verhoeven hat hier einen Kompromiss gefunden. Die religiös motivierten und politischen Diskussionen, die hinter den Aktionen der Gruppe stehen, hat er nur kurz wiedergegeben.

Die Weiße Rose ist ein Film des Regisseurs Michael Verhoeven und war der erfolgreichste deutsche Kinofilm des Jahres 1982.

Bei der Berlinale 2005 wurde Marc Rothemund für den Film **Sophie Scholl- Die letzten Tage**, mit dem silbernen Bären für die beste Regie und Julia Jentsch als beste Hauptdarstellerin ausgezeichnet. Der Film wurde außerdem für den Oscar nominiert. Der Film zeigt die letzten Tage im Leben der Sophie Scholl ab der Verhaftung durch die Gestapo.

1 Was meinst du?

a   Bei einem historischen Dokumentarfilm soll der Regisseur sich immer an den Materialien orientieren, die er hat.

b   Das Wichtigste auch bei einem historischen Dokumentarfilm ist Action. Die Leute sollen sich ja nicht langweilen.

c   Eine schöne Liebesgeschichte kann auch erfunden werden. Etwas fürs Herz muss bei jedem Film dabei sein, auch wenn es ein historischer Dokumentarfilm ist.

2 Optionen. Du als Regisseur/in willst die Geschichte der Weißen Rose verfilmen. Welche der folgenden Szenen nimmst du in den Film auf? Welche nicht? Nicht alle sind wirklich so geschehen...

a Hans Scholl will dem Kommissar nicht sagen, wer bei der Weißen Rose mitgemacht hat. Der Polizist schlägt ihn und er fällt vom Stuhl.

b Bevor er hingerichtet wird, ruft Hans Scholl laut: „Es lebe die Freiheit!"

c Sophie lernt an der Uni einen hübschen Studenten kennen. Er küsst sie eines Nachmittags vor dem Eingang der Universität. Da kommt Sophies Freund ….

d Sophies Vater wird von der Gestapo abgeholt. Die Polizisten schlagen ihn und schreien ihn an.

e Sophies letzte Sekunde. Sie liegt auf dem Schafott. Dann fällt ihr Kopf in den Korb. Blut.

f Im Zug nach Saarbrücken. Er hat Flugblätter im Koffer, aber er hat auch eine Pistole dabei. Als die Polizei seinen Koffer kontrollieren will, schießt er und läuft weg. Die Polizei hinterher … große Schießerei.

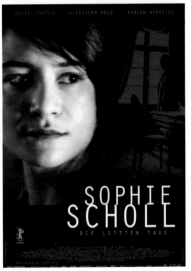

Der Film von Marc Rothemund

3 Beantworte kurz den folgenden Fragen.

Was meinst du? Wie ändert sich der Film mit den Szenen A-F? Wird er spannender? Sentimentaler? Interessanter?

Sophie fährt nach Hamburg

Sophie holt Hans und Alexander vom Bahnhof ab.

„Sophie!" Freuen sie sich? Sie sehen traurig aus.

„Heute Abend treffen wir uns", sagt Hans. „Wir müssen das nächste Flugblatt machen!"

„Heute noch?" fragt Sophie. „Du bist doch sicher müde ..."

Zu Hause erzählt er seiner Schwester von dem, was er gesehen hat. Von den mageren und kranken Juden im Warschauer Getto, von den Exekutionen der russischen Soldaten, der Zigeuner[1], auch von Frauen und Kindern.

Hans weint. „Da an einer Straße standen Juden und arbeiteten. Straßenarbeiten. Etwas für Männer. Ein Mädchen war da, die war so alt wie du. Neben ihnen stand ein dicker deutscher Soldat mit

---

1. **r/e Zigeuner/in**: heute sagt man Sinti oder Roma.

Maschinengewehr, der schrie immer nur: 'Schneller! Macht schon!'
Ich wollte dem Mädchen meine Schokolade schenken. Sie hat sie
nicht genommen. Sie hat mich angesehen und meine Schokolade
nicht genommen. Sie war wie du, verstehst du? Nur hatte sie diesen
gelben Stern und sie war so mager... Für sie war ich ein Nazi, ein Mörder!"

„Sie hat sicher verstanden..."

„Was hat sie verstanden? Ich bin einer von denen! Für den Rest
der Welt bin ich ein Nazi, ein Mörder! Weil ich Deutscher bin."

„Du hast Recht. Wir müssen neue Flugblätter schreiben. Heute
Abend noch."

Zwei Tage später ist das nächste Flugblatt fertig.

„Man kann nicht mit Nazis diskutieren. Es ist falsch, von einer
nationalsozialistischen Weltanschauung zu sprechen. Denn sie lügen,
sie haben immer gelogen, von Anfang an. Hitler selbst schreibt es in
„Mein Kampf" (so ein schlechtes Deutsch wie in diesem Buch habe ich
noch nie gelesen): „Man muss einem Volk Lügen erzählen, wenn man
es regieren will". Und das tut er. Und die Intellektuellen? Sagen nichts!

Wir stehen jetzt vor dem Ende. Es ist Zeit. Von Mensch zu
Mensch müssen wir uns jetzt wiederfinden und dann wird die
Rebellion kommen, dann wird Deutschland wieder frei und dieser
Krieg hat ein Ende. Ein Ende mit Schrecken ist immer noch besser
als ein Schrecken ohne Ende.

Seit dem Beginn des Krieges haben die Nazis in Polen mehr
als 300000 Juden auf bestialischste Weise ermordet. Die Juden
interessieren Sie nicht? Und was ist mit den polnischen Jugendlichen
von Adel [2], die man alle in Konzentrationslager gesteckt oder
erschossen hat? Ja, alle jungen Männer aus adligen Familien
zwischen 15 und 20 Jahren. Und die Mädchen sind in die Bordelle

---

2. **r Adel**: Aristokratie.

der SS gekommen. Aber das wissen Sie sicher alles, oder wenn nicht das, kennen Sie viele andere Verbrechen der Nazis. Warum ist das deutsche Volk so apathisch? Es schläft seinen dummen Schlaf weiter. Ist es schon so dumm und roh [3] geworden? Jeder von uns wird schuldig [4], wenn er die Nazis weitermachen lässt."

Als sie ein paar hundert Blätter gedruckt haben, will Alexander aufhören.

Aber Hans sagt. „Wir brauchen mehr!"

„Warum? Was sollen wir damit?"

„Wir müssen auch in andere Städte fahren und sie dort an den Universitäten verteilen!"

„In andere Städte? Weißt du, wie gefährlich das ist?"

„Ich mache es!" sagt Sophie. Sie nimmt die Blätter und steckt sie in ihren Rucksack.

„Die müssen nach Hamburg", sagt Hans. „Da wartet ein Freund von mir. Die wollen dort eine Hamburger Weiße Rose machen."

„Nach Hamburg?" fragt Alexander. „Da wird sie zwanzig oder dreißigmal kontrolliert!"

Er hat Recht. Die Gestapo ist in allen Zügen und Bahnhöfen. Es ist gefährlich, was Sophie da machen will.

„Ich bin ein Mädchen!" sagt sie. „Da kontrollieren sie nicht richtig! Die suchen Deserteure [5]!"

Am nächsten Tag sitzt sie schon im Zug. Den Rucksack hat sie an einen anderen Platz gehängt. Das sieht niemand, denn der Zug ist sehr voll. Immer wieder kommen Polizisten, meistens in Zivil. „Wer sind Sie?" fragen sie und „Wohin wollen Sie?" und „Was machen Sie da?" Aber sie sehen den Rucksack nicht.

---

3. **roh**: unkultiviert, unsensibel.

4. **schuldig werden**: etwas Böses tun.

5. **Deserteur**: Soldat, der unerlaubt seiner militärischen Dienstpflicht entflieht oder fernbleibt.

In Hamburg trifft Sophie Heinz, einen großen, blonden Norddeutschen.

Sie muss immer lachen, wenn er spricht. So komisch findet sie seinen Akzent.

Aber was er sagt, ist nicht zum Lachen. Er will mit Freunden die Flugblätter vervielfältigen. Eine Hamburger Weiße Rose!

Sophie ist fröhlich auf der Rückreise.

Und fröhlich sind auch Alexander und Hans. Sie sind in vielen Städten gewesen.

„Wir werden immer mehr!"

Doch schon gibt es das nächste Problem.

Sie haben kein Papier mehr.

„Und jetzt?"

„In der Universität haben sie noch welches. Die Professoren ..."

„Was, sollen wir die fragen?"

„Huber."

„Ach, der hat Familie. Der riskiert nichts."

„Ich versuche es."

Alexander besucht Professor Huber zu Hause. Da war er schon öfter. Der Professor hält manchmal Lektürekurse für wenige interessierte Studenten.

Hubers Frau öffnet die Tür.

„Kommen Sie herein!"

Der Professor spricht noch mit seiner kleinen Tochter, dann hat er Zeit für Alexander.

Alexander legt das Flugblatt auf den Schreibtisch.

„Ja, das habe ich gelesen."

„Wir brauchen Papier, Herr Professor!"

Huber sagt erst nichts.

Dann: „Das kann ich nicht machen, Herr Schmorell. Es geht nicht. Bitte gehen Sie."

„Herr Professor, wollen Sie denn nichts gegen die Nazis tun?"

Huber lacht. „Mit Flugblättern? Das hat doch keinen Sinn! Sie riskieren ihr Leben für nichts. Es gibt nur eins [6] : die Wehrmacht muss gegen Hitler aufstehen!"

„Die Wehrmacht?" Alexander glaubt seinen Ohren nicht.

„Die macht bei allen Verbrechen im Osten mit, Herr Professor!"

„Unsere Wehrmacht? Nein, das kann ich nicht glauben. Oder es ist alles zu Ende."

„Herr Professor: Sie haben uns gesagt, wir sollen selbst denken..."

„Ja, ich weiß."

„Bitte!"

Pause.

„Na gut. Übermorgen bringe ich Ihnen ein Paket. Aber ich will auch beim nächsten Flugblatt mitarbeiten!"

„Danke, Herr Professor!"

Alexander weiß: das ist nicht leicht für einen Familienvater, was Huber jetzt tun will.

---

6. **es gibt nur eins**: es gibt nur diese Möglichkeit.

Was steht **im Text?**

Leseverständnis

1 **Was ist richtig? Manchmal gibt es mehr als eine Lösung.**

1 Hans erzählt,
- **a** ☐ er hat ein jüdisches Mädchen gesehen, das keine Schokolade von ihm wollte.
- **b** ☐ er hat ein jüdisches Mädchen an der Straße arbeiten lassen.
- **c** ☐ er hat keine Juden mehr in Russland gesehen.

2 Hans sagt,
- **a** ☐ für die Juden ist er ein Deutscher und also ein Nazi.
- **b** ☐ für die Juden ist er Hans Scholl.
- **c** ☐ die Juden wissen, dass Hans die Nazis nicht mag.

3 Hans und Sophie wollen so schnell wie möglich
- **a** ☐ emigrieren.
- **b** ☐ ein neues Flugblatt machen.
- **c** ☐ ein Attentat verüben.

4 Sie schreiben, dass
- **a** ☐ die Nazis in Polen dreihunderttausend Juden ermordet haben.
- **b** ☐ die Polen in Deutschland Juden ermordet haben.
- **c** ☐ die Nazis auch viele polnische Jugendliche ermordet haben.

5 Hans und Sophie denken, man kann etwas tun,
- **a** ☐ wenn das Militär aktiv wird.
- **b** ☐ wenn Gott ihnen hilft.
- **c** ☐ wenn viele Menschen mitmachen.

6 Hans will jetzt
- **a** ☐ das Netz ausbauen und Flugblätter in andere Städte bringen.
- **b** ☐ endlich einmal andere Städte sehen.
- **c** ☐ nur noch in München aktiv sein.

7 Sophie fährt …
- **a** ☐ mit dem Zug nach Hamburg und nimmt einen Rucksack voll Flugblätter mit.
- **b** ☐ mit dem Zug nach Hamburg und wird oft kontrolliert.
- **c** ☐ mit dem Zug nach Hamburg und geht am Hafen spazieren.

8 Professor Huber will ...

    a ☐ ihnen erst nicht helfen, denn er hat Familie.

    b ☐ ihnen gar nicht helfen, denn er hat Angst.

    c ☐ ihnen dann doch Papier geben, aber auch am Flugblatt mitarbeiten.

Grammatik

2 **Setze die Verben ins Präteritum.**

1 Wir arbeiten den ganzen Tag.

....

2 Er wartet auf sie.

....

3 Liebst du mich?

....

4 Wohin gehst du?

....

5 Schläfst du nicht?

....

6 Woher hast du das Geld?

....

7 Wo bist du jetzt?

....

8 Schreibst du mir einen Brief?

....

9 Wo kaufst du ein?

....

10 Woher kennst du ihn?

....

Wortschatz

3 Was ist das richtige Verb? In welcher Form? *drucken — malen*

1 Leonardo .... die Mona Lisa.

2 Der Meister .... ein historisches Gemälde.

3 Ich lasse mein neues Buch ....

4 Viele Zeitschriften werden in Hamburg ....

5 Er .... ein neues Plakat. Reklame für Bratwurst.

6 Die Zeitung wird noch in der Nacht ....

7 Heute kann man Flugblätter einfach fotokopieren, aber zu Sophie Scholls Zeiten musste man sie ....

8 Kannst du mir mein Porträt ....?

4 *Setzen — sitzen, stehen — stellen, legen — liegen*, welches Verb passt?

1 Sophie .... auf dem Bett und schläft ein.

2 Die Flugblätter .... auf dem Tisch.

3 Die Studenten .... im Vorlesungssaal.

4 Wir .... die Flugblätter vor die Tür.

5 Der SS-Mann .... hinter der Tür.

6 Er .... den Weihnachtsbaum ins Wohnzimmer.

7 .... du das Kind an den Tisch?

8 Die Bücher .... Sie bitte ins Regal zurück!

Sprich dich aus

5 Du organisierst eine Demonstration gegen die korrupte Stadtregierung. Da brauchst du Hilfe. Jemand muss mit der Polizei sprechen, jemand muss Flugblätter drucken, jemand muss über Internet Kontakte aufnehmen. Erkläre den anderen, dass sie dir helfen sollen. Du weißt, sie haben Angst.

Schreib's auf

6 An deiner Universität wird gespart. Die Hörsäle sind voll, es gibt zu wenig Professoren. Die Assistenten haben keine Zeit. Alle Studenten brauchen mehr Zeit fürs Studium als geplant. Die Regierung muss mehr Geld geben. Du willst eine Demonstration organisieren. Schreib ein kurzes Flugblatt.

Stalingrad

Jetzt ist Professor Huber auch in der Gruppe. Es ist nicht immer
leicht, mit ihm zu diskutieren.

Er glaubt immer noch: „Die deutsche Wehrmacht ist gut! Sie wird etwas gegen Hitler tun!"

Die Jungen wissen es besser. Sie haben Wehrmachtssoldaten Frauen und Kinder erschießen sehen.

Lange diskutieren sie mit dem Professor. Am Ende schreiben sie nichts von der Wehrmacht.

Und Hans hat einen neuen Kontakt. Zu einer Gruppe in Berlin.

„Wer sind diese Leute? Kommunisten?"fragt der Professor.

„Ich glaube, es sind auch Kommunisten dabei", antwortet Hans.

Der Professor springt auf. „Kommunisten? Niemals!"

Davon will der Professor nichts wissen.

„Hitler soll weg und dann kommt Stalin? Wisst ihr nicht, was das heißt?"

Doch, von Stalins Terrorregime haben sie auch gehört. „Aber im Moment ist das doch nicht so wichtig", findet Hans. „Alle, die gegen Hitler sind, müssen zusammenarbeiten!"

„Nicht mit Kommunisten. Ihr wisst nicht, wie die sind!"

Einige Tage später brauchen sie nicht weiter zu diskutieren.

Die Gestapo hat die Gruppe in Berlin festgenommen. Die „Rote Kapelle", so nennen die Nazis sie.

„Ich hab's ja gesagt: Kommunisten!" sagt der Professor.

Alle Mitglieder werden zum Tode verurteilt.

„Das Ende ist für alle dasselbe", sagt Hans.

Hans, Sophie, Alexander und Christoph: Sie haben alle Angst.

Und doch machen sie das nächste Flugblatt.

„Wer nicht hören will, muss fühlen, sagen wir den Kindern. Wir wissen auch: Ein kluges Kind legt die Finger nur einmal auf den heißen Herd … es lernt.

In den letzten Wochen sind Hitlers Soldaten in Afrika und in Russland weitermarschiert. Da dachten viele: der Hitler, der kann das am Ende doch. Und die anderen dachten: das darf nicht sein.

Aber jetzt kommen die deutschen Truppen in Ägypten nicht weiter, und im Osten: langsam, sehr langsam marschieren die Soldaten, und viele von ihnen fallen. Warum?

Wer hat die Toten gezählt? Hitler oder Goebbels? Die zählen sicher nicht. Denen sind die Menschen egal. Täglich fallen in Russland Tausende. Zeit der Ernte. Trauer kommt in die deutschen Häuser. Niemand trocknet die Tränen der Mütter. Und Hitler erzählt ihnen weiter seine Lügen. Ihre Söhne hat er ihnen genommen und in den Tod geschickt.

Jedes Wort, das aus Hitlers Mund kommt, ist Lüge. Er hat Frieden gesagt und Krieg gewollt. Und wenn er Gott nennt, denkt er an den Satan. Und wir haben gelernt: das Dämonische gibt es wirklich, und es ist unter uns.

Zu allen Zeiten sind Menschen gegen das Dämonische aufgestanden: Propheten, Heilige, freie Menschen.

Und nun frage ich Dich, der Du ein Christ bist: warum tust Du nichts? Worauf wartest Du? Denkst Du immer, ein anderer wird es für Dich tun? Wir müssen gegen das Böse aufstehen. Und das Böse ist Hitler.

Was wir tun sollen? Sabotage, Sabotage in den Fabriken, im Zug, in der Schule, Sabotage bei den Treffen der Nazis!

Wir sind nicht still, wir schreiben weiter. Die Weiße Rose lässt Euch keine Ruhe!"

Wieder fahren sie mit vollen Rucksäcken durchs Land. In viele Städte bringen sie ihre Flugblätter. Man kennt sie jetzt von Hamburg bis nach Wien. Sie haben immer mehr Kontakte.

„Doch am Ende sind es nicht mehr als hundert", sagt Hans. „Und die meisten Leute wollen einfach nichts hören."

Dann kommt der Schock.

Die Deutschen werden in Stalingrad geschlagen.

Mehr als zweihunderttausend deutsche Soldaten fallen dort. „Ein deutscher Soldat kapituliert nicht!" Besser, er stirbt.

Gestapo und SS sind in dieser Zeit besonders nervös.

Hört man jetzt nicht doch Kritik an Hitler?

Und dann diese Flugblätter der Weißen Rose! In Hamburg, in Saarbrücken, in Innsbruck! Im ganzen Reich hat man sie gefunden. Wer schreibt so etwas? Ein Experte analysiert die Texte. Es sind Studenten, die das schreiben, das ist klar. Keine Kommunisten, sondern christliche Studenten. Das Zentrum scheint in München zu liegen, in der Universität. Aber die ist groß. Die Gestapo in München hat jetzt eine Sonderkommission. Aber die Weiße Rose finden sie nicht.

Hans und Alexander haben auch angefangen, nachts in München „Freiheit!" weiß an die Mauern zu schreiben. Morgens haben sie ihre Freude, wenn die Leute vor diesem Wort stehen bleiben.

Aber wird das alles nicht langsam zu gefährlich?

„Männer von der Gestapo haben mich nach dir gefragt", erzählt ein Freund Hans.

Aber Hans macht weiter.

„Jetzt kann es nicht mehr lange dauern!" sagt er.

Zusammen schreibt die Gruppe ein neues Flugblatt.

„An alle Deutschen!

Der Krieg ist bald zu Ende. Hitler kann nicht mehr siegen, er kann nur den Krieg verlängern.

Was tut das deutsche Volk? Es sieht nicht und es hört nicht. Es geht mit seinem Führer in den Tod. Ich mache weiter bis zum letzten Mann, hat Hitler gesagt. Und der Krieg ist schon verloren.

Deutsche! Wollt Ihr, dass es Euch und Euren Kindern geht wie den Juden unter Hitler? Wollt Ihr für immer das gehasste Volk der Deutschen sein? Nein! Dann tut etwas. Sprecht laut aus, was Ihr denkt! Sabotiert die Kriegsproduktion! Der bessere Teil der Deutschen ist mit uns und gegen Hitler. Ein neuer Krieg beginnt. Kommt mit uns. Noch ist es Zeit."

KAPITEL **8**

Das Ende

Den Koffer voller Flugblätter gehen Sophie und Hans in die
Universität.

Sie müssen schnell machen. Sie haben nur zwanzig Minuten.
Dann sind die Vorlesungen zu Ende und die Studenten kommen
heraus. Niemand darf sie sehen.

Sie legen Blätter auf die Treppe, auf die Geländer. Sie gehen
langsam nach oben. Vor jede Saaltür legen sie ihre Blätter. Dann
oben aufs Geländer. Viele Blätter. Dann machen sie den Koffer zu
und gehen wieder nach unten. In diesem Moment gehen die Türen
auf. Wind! Die Flugblätter fliegen vom Geländer nach unten. Die
Studenten kommen aus den Sälen und nehmen die Blätter in die
Hand. Sie lesen… einige stecken sie sofort ein, andere lassen sie
fallen. „Halt!" hören Sophie und Hans da einen Mann schreien.

„Stehen bleiben, Sie da!" Es ist der Pedell[1]. Er hält Hans und Sophie am Arm fest. „Das mit den Flugblättern, das waren Sie! Ich habe Sie gesehen! Mitkommen!"

„Flugblätter? Wir? Aber nein ..." Hans will noch etwas sagen, aber der Mann schreit immer wieder: „Sie waren das! Mitkommen!"

Er bringt Hans und Sophie ins Rektorat.

„Heil Hitler!" schreit er. „Diese Studenten haben diese abscheulichen[2] Flugblätter verteilt! Ich habe sie gesehen!"

Da kommt der Rektor aus seinem Büro. „Heil Hitler! Das haben sie gut gemacht! Bringen Sie sie zu mir!" Sie gehen ins Büro.

„Gehen Sie nur. Ich lasse Sie später rufen", sagt der Rektor zum Pedell. „Heil Hitler!" Die Tür geht zu.

„Nun zu Ihnen", sagt der Rektor böse zu Sophie und Hans. „Also? Was haben Sie mir zu sagen?"

„Ich weiß von nichts!" antwortet Hans. „Wir kamen aus der Vorlesung von Professor Huber, da ist der Pedell gekommen und hat etwas von Flugblättern geschrien!"

„Aus der Vorlesung, wie? Und der Koffer da?"

„Der ist leer."

„Sie gehen mit einem leeren Koffer spazieren?"

„Wir wollten nach Hause zu unserer Mutter fahren und Wäsche holen."

„Ach, und die Flugblätter?"

Da klopft es an der Tür.

„Ja?"

Ein junger Mann in Uniform kommt herein. Es ist der Studentenführer.

„Heil Hitler!"

1. **r Pedell**: Hausmeister.
2. **abscheulich**: sehr hässlich.

„Sie sind das. Gut. Diese jungen Leute hier haben Flugblätter gegen das deutsche Volk — "

„Haben wir nicht!" sagt Hans schnell.

„Nun, das werden wir ja sehen." Dann sagt der Rektor zum Studentenführer:

„Sprechen Sie mit den beiden? Ich muss mal telefonieren."

Auch dem Studentenführer erzählen Sophie und Hans von ihrer Fahrt nach Hause.

„Na ja", sagt der, „unser Pedell ist sehr nervös. Die Stimmung ist nicht so gut im Moment, das wissen Sie ja."

Es scheint, er glaubt ihnen!

Doch da stehen schon zwei Männer im Zimmer.

„Gestapo." Hans und Sophie sehen sich an. „Wir müssen Sie mitnehmen!"

Am Ausgang der Universität steht der Pedell. „Jetzt haben wir euch!" sagt er und noch einmal „Heil Hitler!"

Auch bei der Gestapo glaubt man den beiden anfangs.

Doch eine Gruppe von Polizisten ist schon in ihrer Wohnung und durchsucht alles.

Hans hat Notizen in seinem Zimmer liegen lassen.

Sie haben keine Chance mehr. Man bringt sie in zwei verschiedene Zimmer. Verschiedene Männer befragen sie. Was sollen sie jetzt sagen? Sie nehmen alles auf sich.

„Sie haben Flugblätter geschrieben, vervielfältigt[3] und verteilt!"

„Ja."

„Wer hat Ihnen geholfen?"

„Niemand!"

---

3. **vervielfältigen:** kopieren.

„Sie wollen mir erzählen, Sie haben das alles allein gemacht?"
„Ja!"

So geht es bei beiden. Sie wollen nicht, dass auch die anderen Schwierigkeiten bekommen. Aber auch da können sie nichts machen. Die Polizei erfährt schnell von ihren Kontakten mit Christoph Probst. Dann identifiziert sie auch Alexander Schmorell und Professor Huber. Davon wissen Hans und Sophie aber nichts. Das spielt auch keine Rolle mehr.

Schon zwei Tage nach der Festnahme kommt es zum Prozess.

Kein normaler Prozess. Ein Schauprozess. Die Nazis müssen zeigen, dass sie noch die Herrn im Lande sind. Zu lange schon hat man in München von diesen Flugblättern gesprochen und von der Weißen Rose. Man will ein Exempel statuieren. Der Richter kommt extra aus Berlin geflogen. Freisler. Den kennt man im ganzen Land. Bei dem haben Hans, Sophie und Christoph keine Chance. Er lacht über sie, er schreit. Aber er lässt sie nicht wirklich sprechen. Und im Publikum sitzen nur Nazis. Hans, Sophie und Christoph versuchen, ruhig zu bleiben. Aber vor allem für Christoph ist das schwer. Er hat Kinder. Was soll aus ihnen werden, wenn er sterben muss? Bis zum Ende hoffen sie für ihn.

Am Ende des Prozesses liest Freisler das Urteil [4] gegen Hans Scholl, Sophie Scholl und Christoph Probst: „Die Angeklagten haben im Krieg mit Flugblättern defaitistische Gedanken und Sabotage propagiert, damit den Feinden geholfen und gegen unsere Soldaten an der Front agiert. Sie werden deshalb zum Tode verurteilt."

---

4. **s Urteil(e)**: Verdikt, das am Ende des Prozesses gesagt wird.

Hinten im Saal hört man einen Mann schreien: „Es gibt noch eine andere Gerechtigkeit!" Es ist der Vater von Sophie und Hans Scholl. Im letzten Moment hatte man ihn über den Prozess informiert und er ist gekommen. Jetzt bringen ihn zwei Polizisten hinaus.

Nach der Lesung des Urteils müssen Hans, Sophie und Christoph wieder in ihre Zellen.

Was nun? Wie wartet man auf seinen Tod?

Sophie betet sicher. Sie hat Angst, ja. Denkt sie, dass ihr Leben und ihr Tod einen Sinn haben? Und dass so viele in ihrem Alter sterben müssen? Es ist Krieg. Ganz sicher denkt sie an ihre Eltern. Wie sollen die weiter leben, wenn zwei ihrer Kinder tot sind? Ist das nicht zu viel für sie?

Da geht die Tür zur Zelle auf.

„Besuch für Sie!" sagt die Wärterin.

Sophie geht hinter ihr zum Besucherzimmer.

Sie sind es!

Ihre Mutter, ihr Vater!

„Sophie!"

Sie lächelt und gibt ihnen über die Barriere die Hand.

Gott sei Dank! Die Mutter weint nicht! Sie sieht ihr direkt in die Augen. Dann geht es!

Sophie ist glücklich.

Sie sprechen über die Familie, über den Frühling.

Viel Zeit haben sie nicht.

„Frau Scholl!" hört sie schon rufen.

Sophie drückt die Hand der Mutter.

„Sophie: Jesus!" sagt die.

„Ja, du aber auch!" Sophie lächelt.

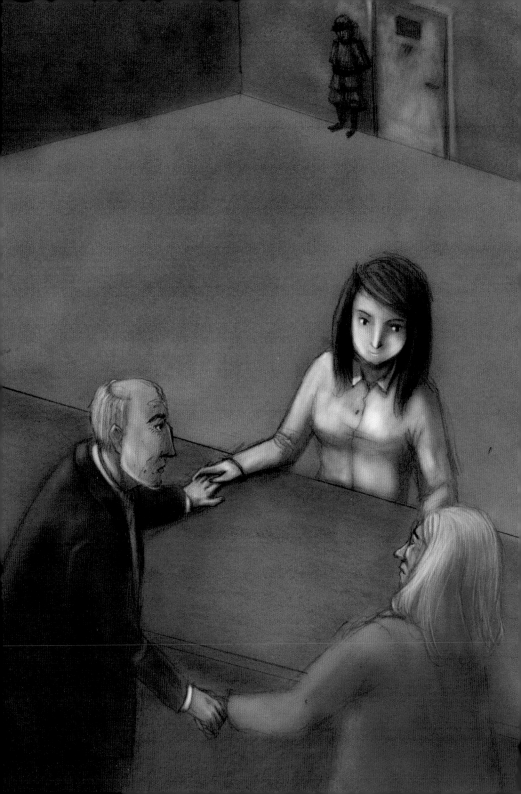

Dann muss sie zurück in ihre Zelle.

„Sie haben noch zwei Stunden", sagt die Wärterin.

Zwei Stunden. Der Pfarrer kommt. Sophie spricht mit ihm.

Dann steht die Wärterin wieder in der Tür.

Sophie geht hinter ihr her.

Alles ist grau hier. Keine Fenster. Vom Frühling sieht man nichts.

Sie kommen in ein Zimmer.

Da stehen Hans und Christoph!

Lächeln sie? Sophie umarmt die beiden.

Ein Wärter steht hinter ihnen.

Er gibt ihnen eine Zigarette.

Die rauchen sie zusammen. Jeder nimmt einen Zug. Auch Sophie.

Alle drei rauchen langsam.

Die letzten Minuten.

Dann sagt die Wärterin zu ihr: „Kommen Sie!"

„Bin ich die Erste?"

Die Wärterin nickt.

Sophie lächelt.

Sie geht.

Es ist der 22. Februar 1943, etwa 17 Uhr.

Was steht **im Text?**

Leseverständnis

1 **Wer tut was? Verbinde.**

In der Uni

1	der Pedell	a	☐	lesen die Blätter.
2	Sophie und Hans	b	☐	verteilen Flugblätter.
3	der Führer der Nazistudenten	c	☐	hält sie fest und bringt sie zum Rektor.
4	die anderen Studenten	d	☐	glaubt ihnen.

Vor Gericht

1	Sophies und Hans' Vater	a	☐	können nicht viel sagen.
2	Sophie und Hans	b	☐	schreit und lacht.

Im Gefängnis

1	Sophie	a	☐	nennt Jesus.
2	Sophie, Christoph und Hans	b	☐	rauchen noch eine Zigarette zusammen.
3	der Wächter	c	☐	wird geköpft.
4	Sophies Mutter	d	☐	bringt Sophie zu den anderen.

2 **Beim Verhör.**

1 Sophie und Hans sagen, den leeren Koffern hatten sie dabei,

    a ☐ denn sie wollten nach Hause fahren und dort frische Wäsche holen.

    b ☐ denn die Flugblätter, die darin waren, haben sie verteilt.

    c ☐ denn der Koffer war neu.

2 Sophie und Hans sagen der Gestapo:

    a ☐ Professor Huber hat alles gemacht.

    b ☐ Sie haben alles mit Christoph und Alexander gemacht.

    c ☐ Sie haben alles allein gemacht.

3 Aber die Gestapo findet in Hans' Zimmer

    a ☐ Drogen, die seit 1933 verboten sind.

    b ☐ Notizen zu Flugblättern.

    c ☐ verbotene Bücher.

Grammatik

3 **Warum tust du das? Die Antwort kann final („um zu") oder kausal („weil"/„denn") sein. Bilde Sätze:**

Beispiele:

Ich gehe in die Schule, weil ich muss/denn ich muss.

Ich lerne Deutsch, um später Karriere zu machen/ denn ich will später Karriere machen/ weil ich später Karriere machen will.

1 Ich lese deutsche Bücher / besser Deutsch lernen.

....

2 Ich lese deutsche Bücher / sie sind interessant.

....

3 Ich gehe viel zu Fuß / dünner werden.

....

4 Ich schreibe Flugblätter /etwas gegen die Nazis tun.

....

5 Ich gehe abends tanzen / Spaß haben.

....

Wortschatz

4 **Wer tut was? Verbinde.**

r/e Richter/in	verteidigt sich
r/e Staatsanwalt/anwältin	klagt an
r/e Zeuge/Zeugin	verteidigt den Angeklagten
r/e Angeklagte	urteilt
r/e Verteidiger/in	sagt, was er/sie weiß

Sprich dich aus

5 **Zum Todestag von Hans und Sophie gibt es in deiner Stadt eine große Zeremonie. Deine Freunde/Freundinnen wollen nicht hingehen. Sie meinen: es ist so viel Zeit vergangen, das braucht uns doch nicht mehr zu interessieren. Erkläre ihnen, warum es wichtig ist hinzugehen.**

NACHSPIEL

Die Gestapo findet auch viele andere Mitglieder der Gruppe. In München und Hamburg gibt es noch Todesurteile. Auch Willi Probst, Vater von drei Kindern, muss sterben. Und Professor Huber. Viele. andere. Wer Gefängnis bekommt, hat Glück.

Auch Sophies Familie muss ins Gefängnis. Alle. Das ist so bei den Nazis. Wenn du Probleme machst, bekommt deine ganze Familie Ärger.

Inge Scholl, Sophies Schwester, schreibt nach dem Krieg ein Buch über Sophie. Das meiste, was wir von Sophie wissen, wissen wir von Inge.

Noch im Krieg geht die Nachricht von der Gruppe junger Deutscher, die „nein" gesagt haben und dafür mit dem Leben bezahlen mussten, um die Welt. Russen und Amerikaner, Briten und Franzosen wissen jetzt: nicht alle Deutschen sind Nazis. Und nicht nur Kommunisten und Sozialisten sind gegen das Regime, sondern auch ganz normale junge Leute, die keine feste Weltanschauung haben, die nur eins wissen: Hitler und seine Leute, die müssen weg.

ENDE

Volksgerichtshof. Helmut James von Moltke.

Widerstand

Es sieht fast so aus, als hätte es in Deutschland keinen Widerstand gegen Hitler gegeben. Das ist eine optische Illusion: die Propagandamaschine der Nazis war gigantisch, die Widerstandsgruppen waren klein und das Regime war brutal. Schon ein falsches Wort, und man kam ins Konzentrationslager. Schon wer Radio London hörte, den hängten die Nazis auf, und wer Flugblätter schrieb, hatte auch nichts anderes als den Tod zu erwarten ... und die Familie kam ins Gefängnis.

Linker Widerstand

Die Kommunisten hatten mehrere Organisationen, welche politischen Gefangenen halfen, wie die **Rote Hilfe**. Doch waren diese, wie die KPD selbst, nicht sehr gut organisiert und für die Nazis war es leicht, ihre Mitglieder zu finden und sie ins Gefängnis oder ins Konzentrationslager zu bringen. Ab 1936 gibt es nur noch Reste der alten kommunistischen Organisationen.

Die **Roten Bergsteiger** waren eine Gruppe der Organisation „Naturfreunde" in Sachsen. Als Bergsteiger konnten sie ihr Material

Sonderbriefmarke.

gut verstecken und Leute über die Grenze bringen. Die Nazis haben viele von ihnen festgenommen und ermordet.

Auch die **Transportkolonne Otto** war eine kommunistische Organisation. Sie brachten Flugblätter aus der Schweiz nach Deutschland. Viele hat die Gestapo verhaftet. Aber die Gruppe existierte bis zum Ende des Krieges.

In Berlin organisierten meist junge Leute die Gruppe **Europäische Union**. Sie halfen Menschen, die vor der Gestapo fliehen mussten. Die meisten Mitglieder der Gruppe hat die Gestapo gefunden und zum Tode verurteilt.

Die Gruppe der Freunde von Herbert Baum in Berlin half jüdischen Flüchtlingen und verübte einen Anschlag auf eine national-sozialistische Propagandaausstellung. Etwa dreißig Mitglieder der Gruppe haben die Nazis zum Tode verurteilt.

Auch die meisten sozialdemokratischen Organisationen haben die Nationalsozialisten schon 1933 zerstört. Die **Sozialistische Front** konnte bis 1936 weiterarbeiten. Von 1936 bis 1938 war die **Deutsche**

Volksfront aktiv, dann hat die Gestapo auch diese Leute gefunden.
Es gab aber bis ans Ende des Krieges kleine Gruppen, die aktiv blieben.
Sie halfen Flüchtlingen, sie druckten Flugblätter. Der Journalist
Theodor Haubach zum Beispiel war wegen seiner Aktivitäten schon
im KZ gewesen, hat aber weitergemacht, bis man ihn 1945 aufhängte.
Mehr als 1000 Personen haben zu seiner Gruppe gehört. Er hatte mit
Karl Heinrich zusammen gearbeitet, einem sozialdemokratischen
Polizeioffizier, der viele Jahre in Lagern und Gefängnissen der Nazis
verbringen musste. Nach dem Krieg bekam er dann Probleme mit der
Kommunistischen Partei in Ostberlin. Er kam wieder ins Gefängnis und
starb dort Ende 1945.

Die „Rote Kapelle"

Lange Zeit hat man gedacht, die Leute der **Roten Kapelle** seien
Spione der Russen und keine Widerstandskämpfer gewesen. Das ist
das Bild, das sich die Nazis von der Gruppe gemacht hatten, die mit

Moskau in Kontakt war. Aber die meisten
der 1942 hingerichteten Männer und Frauen
um Harro Schulz-Boysen und Arvid Harnack
waren keine Kommunisten. Sie gaben
Moskau Informationen weiter (zum Beispiel
über die Invasionspläne Hitlers), denn sie
hofften, eine gute Verbindung zu den Russen
könnte Deutschlands Zukunft sichern. Auch
sie schrieben Flugblätter.

130 von ihnen hat die Gestapo festgenommen.
57 waren kurze Zeit später tot.

Georg Elser.

Wolfsschanze Attentat.

Bürgerlicher Widerstand

Wie am Ende auch die Kommunisten und Sozialisten, formierte sich der parteilose bürgerliche Widerstand in kleinen Gruppen. Sehr wichtig war hier der **Kreisauer Kreis** um Helmuth Graf von Moltke. Die Gruppe traf sich und diskutierte über Deutschlands Zukunft. Sie suchte Kontakte zu anderen Gruppen. Nach der Auflösung des Kreises (Moltke wurde festgenommen) machten einige Männer der Gruppe bei dem Attentat vom 21. Juli 1944 mit.

Attentate auf Hitler

Heute haben wir Informationen über etwa vierzig Attentatsversuche. Hitler hat sie alle überlebt.

Die wichtigsten Versuche:

- Der Tischler Georg Elser hat nach monatelanger Planung und Vorbereitung im November 1939 in dem Münchener Gasthaus eine Bombe zur Detonation gebracht, in dem Hitler eine Rede halten sollte. Hitler hatte das Gasthaus allerdings 13 Minuten vor der Explosion verlassen. Elser kam ins Konzentrationslager und wurde erst im April 1945 dort auf Kommando Hitlers von einem SS-Mann ermordet.

Nach Beginn des Krieges planen immer wieder Offiziere der

Wehrmacht Hitler zu töten. Aber im letzten Moment kommt immer etwas dazwischen. So wie auch bei diesen beiden Versuchen:

- Fabian von Schlabrendorf und andere wollten Hitler in die Luft sprengen. Die Bombe funktionierte nicht. Schlabrendorf wurde 1944 festgenommen, aber noch vor dem Prozess haben die alliierten Bomber das Volksgericht zerstört, Gerichtspräsident Freisler starb bei diesem Angriff. Schlabrendorf kam ins Konzentrationslager und bei Kriegsende frei.

- Am 21. Juli 1944 kam der Offizier von Stauffenberg in Hitlers Hauptquartier. Er musste strategische Fragen mit dem Führer und anderen Offizieren besprechen. Er hat eine Tasche bei sich. Die lässt er unter dem Tisch stehen und geht aus dem Raum, in dem Hitler mit seinen Generälen diskutiert. Kurze Zeit später explodiert die Tasche. Doch der Tisch war sehr stabil. Hitler wurde nicht getötet. Graf von Stauffenberg und alle Mitglieder der Gruppe, die das Attentat geplant hatte, wurden festgenommen und hingerichtet.

Jugendgruppen

Einen richtigen Namen gibt es nicht. Man nannte sie Edelweißpiraten (das Edelweiß – eine seltene Blume aus den Bergen – war ein Symbol der Jugendbewegung gewesen) oder Navahos oder einfach Jugendbanden. Besonders viele gab es im Rheinland (in Köln hatte die Gestapo mehr als 1000 registriert) und an der Ruhr. Diese jungen Leute wollten nicht bei der Hitlerjugend mitmachen. Das war ihnen zu militärisch. Sie organisierten ihre eigenen Treffen und Fahrten,

Claus von Stauffenberg.

Jungen und Mädchen zusammen. Da konnten sie tun, sagen und singen, was sie wollten, oft Kritisches und Ironisches über die Nazis. Die Hitlerjugend reagierte: Gruppen von Hitlerjungen gingen durch die Städte und wenn sie Jugendliche sahen, die nicht die Uniform trugen, denunzierten sie sie bei der Gestapo oder schlugen sich mit ihnen. Die freien Gruppen organisierten dann „Besuche" bei Treffen der Hitlerjugend. Manche halfen auch Flüchtlingen und

mahnruf
FREIE SOZIALISTISCHE TRIBÜNE
MITBEGRÜNDER: SEPP FREY   № 143

Die FREIHEIT ist unser Ziel!

VORAUSSETZUNG : DER FRIEDE
DIE BESEITIGUNG

aller Ausbeutung Bedingung!

Flugblatt zum Widerstand.

schrieben Flugblätter. Es waren ganz kurze, sehr direkte Texte: die Leute sollten sie schnell lesen und verstehen können, und die jungen Leute hatten nicht das Gymnasium besucht.

Sehr bekannt ist das „Scheißflugblatt": „So braun wie Scheiße, so braun ist Köln. Macht endlich die Augen auf!" (die Farbe braun symbolisiert die Truppen der NSDAP).

Viele junge Leute der freien Gruppen hat die Gestapo festgenommen, ins Gefängnis oder in Konzentrationslager gesteckt oder an die Front geschickt: in Strafbatallionen, die die gefährlichste Arbeit machen mussten, mussten sie zum Beispiel vor den regulären Soldaten über Minenfelder laufen. Nur wenige haben den Krieg überlebt.

Ganz unpolitisch waren anfangs die „Swing-Kids". Sie trafen sich in ihren Lokalen, weil sie dort Swing tanzen wollten. Der war als amerikanischer Tanz im Nazideutschland verboten. Viele dieser jungen Leute kamen ins KZ.

Die Kirchen

Die großen Kirchen leisteten in Deutschland keinen Widerstand gegen Hitler. In der evangelischen Kirche hat man zwar die „Bekennende Kirche" gegründet, um den nationalsozialistischen Bischöfen nicht gehorchen zu müssen. Zu Aktionen ist es jedoch nicht gekommen. In der katholischen Kirche predigte Bischof von Galen in Münster gegen die Ermordung Behinderter.

Kleinere religiöse Gruppen kamen in Konflikt mit dem NS-Regime. Die „Zeugen Jehovas" sind radikal pazifistisch und predigen gegen den Militärdienst. Auch akzeptierten sie den Hitler-Gruß („Heil Hitler!") nicht und ließen ihre Kinder nicht in die Hitlerjugend gehen. Wer nicht „Heil Hitler" sagte, kam ins Gefängnis. Aktive Zeugen Jehovas kamen in Konzentrationslager. Einige, wie Helene Gotthold, die immer wieder Pazifismus predigten und bei ihrer Missionsarbeit weitermachten, obwohl sie immer wieder festgenommen wurden, sind 1944 vom Volksgerichtshof zum Tode verurteilt und hingerichtet worden.

Dann gibt es noch die vielen, die versucht haben, über Radio London wenigstens informiert zu bleiben, und dafür aufgehängt wurden, und die, die Witze über Hitler gemacht haben, wieder andere, welche bei Kriegsende mit weißen Fahnen die Alliierten begrüßen wollten und im letzten Moment von Nazitruppen ermordet worden sind.

Fragen zum Text

1 **Antworte kurz auf folgenden Fragen.**

1   Nenne zwei Gruppen der Bevölkerung, die Widerstand leisteten.

2   Welche große Gruppe organisierte keinen Widerstand?

3   Was war der Unterschied zwischen den Edelweißpiraten und der Weißen Rose?

4   Warum wissen wir über Edelweißpiraten so wenig?

Grammatik

1 **Was passt?**

Nicht wenige Menschen in Deutschland versuchen, Widerstand
(1) .... Hitler **(2)** .... organisieren. Aber das
ist gefährlich. **(3)** .... viele Gruppen **(4)** ....
entdeckt, die Mitglieder kommen **(5)** .... Gefängnis
oder werden zum Tode verurteilt. Kommunisten und Sozialisten
haben viele Gruppen, aber die **(6)** .... werden bis
1938 festgenommen. Dann gibt es spontan **(7)** ....
Gruppen von Jugendlichen, die nicht **(8)** .... der
Hitlerjugend mitmachen wollten. Auch die „Weiße Rose" ist
eine Gruppe ohne parteipolitische Bindung und ohne Kontakte
(9) .... Ausland. **(10)** .... Ausland
weiß man erst seit **(11)** .... Prozess und ihremTod,
(12) .... es sie gibt. Heute sind Sophie und Hans Scholl
in **(13)** .... ganzen Welt berühmt. Viele Leute denken ja,
dass **(14)** .... Deutschen Nazis gewesen sind.

	a		**b**		**c**	
1	a	für	b	gegen	c	ohne
2	a	—	b	zu	c	bei
3	a	weil	b	warum	c	denn
4	a	wird	b	müssen	c	werden
5	a	ins	b	im	c	um
6	a	mehren	b	meisten	c	vielen
7	a	en	b	e	c	er
8	a	bei	b	mit	c	für
9	a	zum	b	durchs	c	aus
10	a	Im	b	Aus dem	c	Ins
11	a	den	b	der	c	dem
12	a	das	b	dass	c	ob
13	a	die	b	den	c	der
14	a	vieles	b	allen	c	alle

Wortschatz

2 Setze ein.

a Im Haus   **Dach — Geländer — Hof — Treppe**

Auf der (**1**) .... gehen wir nach oben. Meine Großmutter
hält sich immer am (**2**) .... fest. Da oben unter dem
(**3**) .... liegen viele alte Fotos. Im (**4**) .... parken
jetzt die Autos. „Früher war das unser Treffpunkt", sagt Oma.

b Vor Gericht   **Angeklagter — Richter — Urteil — Verteidiger**

Der (**1**) .... will erklären, dass ich nichts Böses getan habe.
Aber da spricht der (**2**) .... schon sein (**3**) ....:
„(**4**) ....! Sie gehen drei Jahre ins Gefängnis!"

c Im Krieg   **Bomber — Niederlage — Offizier — Sieg**

(**1**) .... fliegen über der Stadt. Der (**2**) .... sagt:
Ich führe euch zum (**3**) .... Aber die anderen waren besser.
Es wird eine (**4**) ....

d Universität   **Assistent — Professor — Prüfung — Vorlesung**

Bei der (**1**) .... von (**2**) .... Propp schlafen die
meisten Studenten. Propps (**3**) .... sieht das, sagt aber
nichts. Am Ende müssen ja doch alle die (**4**) .... machen,
denkt er.

Hörverständnis

3 Drei Geschwister: Karl, Rita und Annette sprechen über ihren
Großvater. Der ist vor ein paar Jahren gestorben, aber erst jetzt haben
sie unter dem Dach sein Kriegstagebuch gefunden. Er war Soldat in
Russland und hat gesehen, wie andere deutsche Soldaten Juden und
junge Russen erschossen haben, auch Frauen und Kinder. Er fand das
schrecklich, aber er hat nichts gegen die Nazis getan.
Wer sagt was?

	kann Opa verstehen!	Familie ist wichtiger!	in so einer Siuation muss man aktiv werden.
Karl			
Rita			
Annette			

4 Ordne die folgenden Bilder in die richtige Reihenfolge.

Dunkle Jahre – Zeittafel 1933 – 1945

30. Jan. 1933	Hitler wird Reichskanzler.
23. März 1933	Nach dem Reichstagsbrand lässt Hitler vom Parlament ein Ermächtigungsgesetz beschließen: das Parlament löst sich selbst auf. Hitler kontrolliert das Land. Nur die SPD-Parlamentarier sind gegen das Gesetz und sagen das auch.
7. Apr. 1933	Juden dürfen nicht mehr für den Staat arbeiten.
Mai 1933	KPD und SPD werden verboten.
Dez. 1933	Die NSDAP ist Staatspartei.
Aug. 1934	Nach dem Tod Hindenburgs wird Hitler selbst auch Reichspräsident.
Jan. 1935	Nach einem Plebiszit kommt das Saarland zu Deutschland zurück.
Sept. 1935	„Arier" und Juden dürfen einander nicht mehr heiraten.
März 1938	„Anschluss" Österreichs.
Sept. 1938	Hitler bekommt von den Staatspräsidenten Englands und Frankreichs die Erlaubnis, ins Sudetenland (in die Tschechoslowakei) einzumarschieren
14. März 1939	Die Slowakei trennt sich von der Tschechei, diese wird von Deutschland als „Protektorat" übernommen.
Aug. 1939	Hitler und Stalin schließen einen Pakt: darin steht auch, dass Deutschland und Russland Polen unter sich aufteilen.

Der Weltkrieg

1. Sept. 1939	Das Deutsche Reich greift Polen an. Zwei Tage später erklären Frankreich und Großbritannien Deutschland den Krieg.
Apr. 1940	Deutsche Truppen landen in Norwegen. Die Deutschen besetzen Dänemark, die Niederlande, Belgien und Luxemburg.
13. Aug. 1940	Beginn der Luftschlacht über London. Die Invasion in Großbritannien wird bald aufgegeben.
27. Sept. 1940	Deutsch-italienisch-japanisches Dreimächteabkommen, später treten Ungarn, Rumänien, die Slowakei, Bulgarien und das neu gegründete Kroatien bei.
Ab 1941	Kämpfen deutsche Truppen in Nordafrika.
Am 22. Juni	Beginnt der Angriff auf die Sowjetunion.
Im Winter 41	Scheitert der Angriff auf Moskau.
22. Nov. 1942	Die Deutschen sitzen unter General Paulus in Stalingrad fest.
2. Feb. 1943	Die Russen nehmen Stalingrad ein.
Mai 1943	Die deutschen Truppen in Nordafrika kapitulieren.
Juli 1943	Die Alliierten landen in Sizilien. In Italien wird Mussolini abgesetzt, Italien erklärt Deutschland den Krieg.
6. Juni	Invasion der Alliierten in der Normandie.
8. Mai 1945	Bedingungslose Kapitulation des Deutschen Reichs.